LA POESÍA DE PEDRO SALINAS

BIBLIOTECA ROMÁNICA HISPÁNICA

DIRIGIDA POR DÁMASO ALONSO

II. ESTUDIOS Y ENSAYOS

CARLOS FEAL DEIBE

LA POESÍA
DE PEDRO SALINAS

BIBLIOTECA ROMÁNICA HISPÁNICA

EDITORIAL GREDOS, S. A.

MADRID

N.º de Registro: 2407-65. — Depósito Legal: M. 5694-1965

Gráficas Cóndor, S. A. — Sánchez Pacheco, 83. — Madrid-2   2465-65

*A mi madre. A la memoria
de mi padre.*

PRÓLOGO

El presente libro quiere inscribirse dentro del campo de lo que
—nos guste o no la palabra— viene llamándose Estilística. En lo que
concierne a lo que hay que entender por tal, se basa en la doctrina
del profesor Dámaso Alonso [1]. Estilística es el estudio del estilo (en
este caso, del estilo de un poeta: Pedro Salinas), y "estilo" es, según
Dámaso Alonso, el "signo" en cuanto tiene de único, en su invencible
peculiaridad. Nos explicaremos. La palabra "signo" procede de la terminología lingüística de Ferdinand de Saussure. Llama éste así a la
combinación de "concepto" (significado) e "imagen acústica" (significante). Dámaso Alonso recoge estos términos, pero introduce en su
comprensión capitales innovaciones. El "significado", para él, no es el
"concepto". No está sólo formado de elementos conceptuales. Junto a
éstos, pueden distinguirse otros, de tipo imaginativo o afectivo. Los
"significantes" no son, pues, simples transmisores o portadores de
"conceptos", sino de esta carga compleja.

Tampoco, como suponía Saussure, "significante" y "palabra" coinciden. "Significante" puede ser "una sílaba, una vocal, una consonante, un acento, etc., siempre que estos elementos sean expresivos. Pero
también, en el sentido de lo mayor, podemos considerar que un verso,
una estrofa, un poema, o partes de ellos, son otros tantos 'significantes', cada uno con su especial 'significado' " [2].

---

[1] Véase *Poesía española. Ensayo de métodos y límites estilísticos*, Ed. Gredos, Madrid, 1952.

[2] *Ob. cit.*, pp. 30-31.

La última diferencia importante con la teoría de Saussure es que,
para éste, la vinculación entre "significante" y "significado" es arbitra-
ria e inmotivada. No hay ningún lazo natural entre el significado
(concepto) *árbol* y el significante (imagen acústica) *árbol*. Otro cual-
quier significante podría existir aquí (y ello ocurre, realmente, en otras
lenguas). Pues bien, Dámaso Alonso, aun aceptando la arbitrariedad
del signo, afirma que "en poesía, hay siempre una vinculación moti-
vada entre significante y significado" [3].

La teoría de Dámaso Alonso, que somerísimamente hemos descrito, sustenta este trabajo. Nuestro propósito ha sido, en efecto, inves-
tigar las relaciones —en lo que éstas tienen de motivadas, es decir, de
expresivas— entre el significante y el significado: entendidos ambos
en la dimensión profunda en que el crítico español lo hace. El "signo"
(la obra) en su triple carácter: imaginativo o sensorial, afectivo y conceptual. "Es el vínculo exacto, riguroso, cruelmente concreto, entre significante y significado —el signo, es decir, la forma literaria, la obra—
el objeto único de la Estilística. No será Estilística nada que a ese
punto, perfectamente delimitado, no lleve" [4].

Somos también deudores de Carlos Bousoño en una idea que éste
formula en su libro sobre la poesía de Vicente Aleixandre [5], y que
aplica al poeta estudiado. La idea de que todo escritor (en realidad,
todo hombre) posee una "intuición primaria" de la realidad, la cual
nos explica tanto sus temas como sus procedimientos expresivos. Esta
idea —que procede de Bergson— da la mano, felizmente, a una del
propio Salinas. Nuestro poeta, que fue también un gran crítico, habló
en un libro sobre Rubén Darío de que, en todo artista, existe un "tema
vital", origen o tierra común de sus creaciones, del cual derivan los
demás, que él llama secundarios o subtemas. "Se me figura —dice
Salinas— la función más deseable del estudio de un poeta la delicada

---

3 *Ob. cit.*, pp. 31-32. En un apéndice de su obra, el autor amplía su concepción al lenguaje. Exponer sus razones, ahora, es algo que se saldría de
nuestros fines.

4 *Ob. cit.*, p. 415.

5 *La poesía de Vicente Aleixandre*, Ed. Gredos, Madrid, 1956, pp. 27-31.

discriminación de su tema, su cuidadosa separación de los temas segundos o subtemas; el precisar el curso que sigue, a través de la obra, resolver las contradicciones aparentes que velan su presencia, llegando por fin a la visión del creador entero y verdadero, salvada de mutilaciones y limpia de desenfoques" [6].

Principio es éste que ha guiado nuestro trabajo. Creemos, efectivamente, que en Salinas, pese a aparentes contradicciones, existe lo que él llama un "tema vital": una intuición básica, que se mantiene fiel a lo largo de su obra. Hemos dividido ésta, sin embargo, en tres partes, porque creemos que, si bien el *tema* se mantiene constante, la formulación del mismo varía. Es decir, el *tema* (y los *subtemas*) son reducibles a conceptos, pero la poesía (el "signo") no se agota, como dijimos, en ellos. Lo conceptual, por sí solo, no es poético; necesita, inevitablemente, de lo sensorial o afectivo. La poesía de Salinas, así entendida, se caracteriza por una invasión mayor cada vez de afectividad [7]. El cambio es, sobre todo, visible a partir de *El Contemplado* (1946), entre la aparición del cual y la del libro anterior media un acontecimiento decisivo: la guerra. Se justifica, entonces, la creación de un grupo, en que incluimos los libros posteriores a los años bélicos. Respecto a los anteriores, hacemos un grupo con los tres primeros libros del poeta, y otro con los dos que siguen: *La voz a ti debida* y *Razón de amor*. Éstos, aparte la mayor exteriorización dicha de afectividad, poseen en común la dedicación plena al motivo amoroso. Culmina, además, en ellos la riqueza imaginativa de los libros que preceden (que consideramos, entonces, como una introducción a la poesía madura, granada, de *La voz...* y *Razón de amor*). Es indudable que estos dos libros son los más representativos de Salinas, aquellos a que debe más su fama. En su estudio nos detendremos especialmente.

---

[6] Pedro Salinas, *La poesía de Rubén Darío*, Ed. Losada, Buenos Aires, 1948, p. 51. Véase todo el capítulo *El tema del poeta* (pp. 47-51).

[7] Con una excepción: el primerizo *Presagios*, que, en lo que se refiere a la composición de los elementos del poema, se inclina más bien del lado de los libros finales.

Hemos procurado evitar las reiteraciones. Pero ocurre que, a veces, al citar unos versos, con un motivo, veíamos en ellos cosas ya expuestas. Dejarlas pasar sin comentario nos resultaba difícil. El autor tiene siempre la impresión de que todos los ejemplos son pocos para sentar una afirmación; tiene horror de las divagaciones. Por otra parte, juntar todos los textos —bajo pretexto de orden— que a un mismo propósito se aducen, obligaría a repetirlos cuando el propósito fuera otro. Ello alargaría innecesariamente este libro, con riesgo de fatigar al lector. Entre las tendencias al orden, a la brevedad y a la persuasión hemos buscado una solución de compromiso. Solución nada fácil, y que sólo nos podemos jactar de haber intentado [8].

_____

[8] Una cronología de las obras de Salinas que aquí se estudian puede verse en la *Bibliografía* final.

PRESAGIOS, SEGURO AZAR, FÁBULA Y SIGNO

REVELACIÓN DEL ALMA

La intuición que está en la base de la compleja poesía de Pedro Salinas, es ésta : todos los seres del mundo están dramáticamente escindidos en alma y cuerpo. El afán del poeta se encaminará a lograr la unidad, la reconciliación de esos dos términos. La originalidad consiste en que no sólo se adjudica un alma a los seres humanos, sino también a las cosas. El poeta contempla el monasterio del Escorial :

> ¡ Qué seguro de ti mismo,
> qué distante de tu alma,
> entre cuatro ángulos rectos
> estabas, rígido ! [1].

Nadie adivinaría un alma en el severo edificio de piedra. Salinas, sí. Por distante que el monasterio aparezca de su alma, ésta existe, y va a revelarse. ¿Cómo? El agua del estanque próximo, en que el edificio se refleja, le altera las líneas de su geometría : el edificio refle-

---

[1] *Jardín de los frailes* (*Fábula y Signo*, 22). Utilizaremos, en lo sucesivo, las siguientes siglas : *Presagios* = Pr.; *Seguro azar* = SA.; *Fábula y Signo* = FyS. Citamos por la edición de *Poesías Completas*, Aguilar, Madrid, 1955.

jado pierde su rigidez y tiembla en el agua, como tiembla todo lo que
vive (lo que tiene alma y no sólo cuerpo):

> Se te quebraron las rectas,
> los planos se te arqueaban
> para vivir, como el pecho.
> ¡Qué latido
> en ansias verdes, azules,
> en ondas, contra los siglos
> rectilíneos!

Se rompe la medida uniforme del verso, que se entrega ahora a
quiebros inesperados, al igual que hacen en el agua las líneas del monasterio.

> El agua te sacó el alma.

Esta revelación acontece también en otros poemas, y son los seres
de quienes menos lo esperaríamos —menos aún que del monasterio
del Escorial: una obra de arte, después de todo—, los que nos la
descubren. Así, la bombilla eléctrica (*35 bujías*, SA., 27), cuya alma
sería su luz, que el cristal (su cuerpo) oculta. Pero el poeta la ve, allí
arriba, invisible, y la soltará si quiere: es muy sencillo, basta con apre-
tar un botón. También —¿quién lo diría?— tiene un alma el automóvil: "alma mía en la tuya / mecánica" (*Navacerrada, abril*, SA.,
10), dice el poeta, que va conduciendo el vehículo. Y, para no ser
menos, el radiador también tiene su almita: el agua que, callada, corre por los tubos de su cuerpo (*Radiador y fogata*, FyS., 14). El agua
es aquí alma, y no quien saca el alma. Quien saca el alma, quien la
revela, son los mercurios de los termómetros, que la sienten, como
donceles, "con amores verticales". El poema es muy ingenioso, muy
de época, pero en su aparente deshumanización, encubre, como el radiador, más calor del que parece. El mundo de la técnica se introduce
con frecuencia en estos primeros libros de Salinas (*Seguro azar* y *Fábula y Signo*). Es una tradición que viene de Baudelaire, como es sa-

bido, y que mantiene, incluso, en el poeta español un sentido muy próximo al del francés: el de ver también en ese mundo frío y prosaico el lugar del espíritu (aunque el tono sea muy distinto en uno y otro poeta). Esos diálogos amorosos que se establecen entre los seres que revelan su alma —a la bombilla, en el poema citado, llamaba el poeta "amada eléctrica"; ella y él son "amantes eternos"— muestran, repetimos, por debajo del juego, en que sólo el ingenio parece comprometerse, el calor y la poderosa vena de humanización de quien, años más tarde, encontrará en el amor su tema exclusivo y su acento más hondo. "Los dos solos. ¡Qué bien / aquí, en el puerto, altos!", comienza el poema *Navacerrada, abril*. Los dos solos. ¿El poeta y su amada? No, el poeta y su automóvil, al que alude incluso con el pronombre de intimidad *tú*, que los demás mortales reservamos para las dulces féminas que inquietan nuestro vivir:

> Y de pronto mi mano
> que te oprime, y tú, yo
> —aventura de arranque
> eléctrico—, rompemos
> el cristal de las doce...

No es una carne lo que se oprime, sino un botón, como en el caso de la bombilla. Nótese, además, ese desdoblamiento (tú, yo) del sujeto, que destaca a los dos protagonistas, borrosos si hubiésemos empleado el plural "nosotros" o ningún pronombre (soluciones normales ambas). Se destaca la entidad individual de cada amante, y no sólo del amante poeta.

Ahora bien, la revelación de un alma no es cosa que acontezca todos los días. Hace falta un clima especial para que ese acontecimiento se produzca. Tal clima, en el poema *35 bujías*, es la noche. La bombilla derramará su luz (su alma) "de noche, cerradas las ventanas, para que no la vean". El alma —el agua— del radiador va "callada... recatada" por dentro; se siente en su silencio ("calor sigiloso"), a diferencia del calor de la fogata, que es algo que se ve "rojo... desmelenado", próximo a extinguirse:

Chascas: es que se te escapan
suspiros hacia la muerte.

Calor de muerte, no de vida, que sólo es vivo el calor silencioso
del alma.

Claro que a veces —y es lo más normal—, ni la noche ni el silencio ni nada son suficientes para que un ser revele su secreto. Así pasa
en el poema 2 de *Presagios,* donde el poeta acude en vano al "agua
en la noche" para lanzar a ella el dardo de sus preguntas. El agua no
responde, o lo que responde no es lo que queremos: "beso te doy,
pero no claridades". El espíritu no se manifiesta; nos quedamos en el
mundo del cuerpo, de los sentidos: "yo he sido hecha —dice el
agua— para la sed de los labios que nunca preguntan".

EL ALMA SIN CUERPO

Hasta aquí vamos bien, parece. Hemos visto cómo el poeta se
afana por descubrir el alma de las cosas. La única diferencia que podrá
advertirse, respecto de lo sentado por otros críticos, es que llamamos
alma a lo que muchos llaman de otro modo. Lo que todos ven —habría que estar ciego para no verlo— es la presencia en los versos de
Salinas de otra realidad, aparte de la aparencial, aparte de la realidad
de los sentidos. Las divergencias empiezan en cuanto nos preguntamos
qué es esa otra realidad. Pero las denominaciones que se han dado
(esencia, más allá, absoluto, etc.), sólo tienen interés por lo que se
quiere decir con ellas. No es cuestión de nombres, como es fácil comprender, sino de lo que éstos significan. El mismo Salinas ha empleado
indistintamente una u otra de aquellas denominaciones. Si nosotros ele-
gimos la palabra *alma,* para aludir con ella a esa otra realidad, no es
porque esta palabra sea —como es efectivamente— una de las que
más ocurren en los versos del poeta, sino porque el alma sólo puede
concebirse como correlato de otra realidad: el cuerpo, en que necesariamente ha de habitar (alguna vez por lo menos). De este modo n

perdemos de vista la unidad cuerpo-alma, cuya disociación real y asociación deseada es, para nosotros, la clave de la poesía de Salinas. Es,
por eso, tajante nuestro desacuerdo con aquellos críticos que reducen
esta poesía a una búsqueda simplista de esencias, entendiendo por tales
algo fuera del tiempo y del espacio, algo desvinculado de la existencia
(o, si queremos ser más exactos, que existiría sólo en la mente del poeta
o en un cielo platónico, trascendente a las cosas). Cierto que Salinas,
en varios de sus poemas, alude a paraísos intemporales. Es lo que
ocurre cuando dos almas se encuentran; es decir, cuando dos seres se
desvelan, se sacan mutuamente el alma : tiempo y espacio quedan abo-
lidos entonces ("amantes eternos", leíamos en el poema 35 *bujías*).
Pero para conquistar tal paraíso (el paraíso del amor, no otro cualquiera) ha sido preciso un encuentro de dos almas, y, consiguientemente, de los cuerpos en que las almas habitan : cuerpos que existen
en el tiempo y en el espacio. Esta distinción es, a mi modo de ver,
capital, y aclara muchas dificultades y contradicciones aparentes [2].

---

2 Hay que señalar, desde luego, desacuerdos contra aquella manera de
concebir la poesía de Salinas como un mundo de abstracciones, que huye el
contacto con la realidad. Jorge Guillén —el crítico de Salinas con quien más
nos identificamos— escribe : "En la obra de Pedro Salinas todo se somete a
un primer valor : el alma... El poeta pregunta : '¿Acompañan las almas, se
las siente?'. La poesía de Salinas es eso : un mundo profundamente acompañado por un alma. Así se expresará el dominio espiritual del hombre gracias
a una honda y constante humanización... Tal idealismo no hace perder pie
al poeta. No lo sería sin contacto con sus materiales, y sólo entonces el espíritu cumple su función : espiritualizar los humildes materiales maravillosos"
(*Prólogo a Poemas escogidos* de P. S. Col. Austral, 1953).
    Esto no quiere decir que los primeros libros de Salinas (*Seguro azar* y *Fá-
bula y Signo*, sobre todo) no puedan ser acusados de cierta frialdad. Pero esta
frialdad no es debida a que el poeta cante esencias separadas de la existencia,
sino a su modo de cantar : un modo en que el corazón se esconde, y los
elementos conceptuales y sensoriales parecen ser los únicos visibles. Salinas
responde aquí a postulados estéticos de su tiempo. Arte, mejor que deshumanizado, desintegrado por especialización, como muy certeramente lo llama
Amado Alonso (en *Poesía y estilo de Pablo Neruda*, Ed. Sudamericana, Buenos Aires, 1951). Pero la idea que articula esos poemas —la idea que podemos
abstraer de la forma en que cuaja— es una idea cordial. Porque lo que canta
Salinas no es otra cosa que la identidad o distanciamiento de un ser respecto
de su alma, que hace posible o imposibilita el amor. Esto, en sus primeros

¿Cómo, si no, explicaríamos esos versos en que el poeta se lamenta de que la felicidad no sea más que un nombre, un "alma sin cuerpo"?:

> (¡Y mis brazos abiertos!)
> Pero tu cuerpo nunca,
> pero tus labios nunca,
> felicidad, alma sin cuerpo, sombra pura.
>
> (Pr., 5)

La ausencia de verbo comunica a estos versos un tono apodíctico, correspondiéndose a maravilla con la ausencia de tiempo (real, y no sólo verbal) en que la felicidad se mueve. Vagamos por un limbo abstracto. (¡Y mis brazos abiertos!). El paréntesis irrumpe, como un trozo de vida, en la monotonía de ese mundo abstracto, donde no llega, sin embargo, a insertarse, y se queda en paréntesis —en algo al margen—. Se queda en deseo. Y la felicidad inatrapable se escapa, no se deja reducir a la medida de los brazos, del verso, y se distiende (se va) en ese verso último larguísimo.

"MANUELA PLA"

Henos ya instalados en el quicio donde se asienta la poesía de Salinas. ¡Qué afán por desvelar el alma que se esconde, pero, al mismo tiempo, por concretarla, por darle un cuerpo que la soporte! Ni alma sólo ni cuerpo sólo. Alma y cuerpo unidos, reconciliados. Asomémonos a un poemita del libro inicial *Presagios:*

---

libros, lo hará todo lo irónicamente que se quiera y valiéndose de alusiones ingeniosas al mundo de la técnica. Pero, para seguir con una comparación de que antes nos hemos valido, por los tubos rígidos, "sin angustia", del radiador, es el calor lo que corre. Y, aunque Salinas no renunciará nunca al ingenio —es un rasgo de su estilo—, la afectividad, en sus versos, será cada vez mayor. Lo cual no impide que la reducción conceptual de su visión del mundo en sustancia, sea la misma.

"Manuela Pla" se llama el barco.
Manuela Pla será sin duda el nombre
de la viuda del armador.
Vive en un puerto mediterráneo,
con un santo temor de Dios
y con un santo amor a la renta
del cuatro por cinco interior.
Doña Manuela reza el rosario
todas las noches y se duerme
junto a un lorito centenario
que allá un día trajo de América
un barco de su propiedad.
Y mientras la armadora está
navegando por el mar manso
del rezo, donde se adormece,
sobre los mares de verdad,
juvenil, fuerte y petulante
va adelante el *Manuela Pla*.

(Pr., 33)

El poema tiene todo el aire de partir de un dato real. ¿Qué es lo que ha impresionado al poeta? Sencillamente el haber visto un barco que tiene nombre de persona. El artista, que, como vimos, lucha por humanizar cuanto le rodea, se encuentra de pronto con una cosa que, al tener nombre de persona, está en la corriente de humanización por él perseguida. El barco, efectivamente, aparece en el penúltimo verso "juvenil, fuerte y petulante", como un ser humano cualquiera. Lo curioso es que la mujer —Manuela Pla— que da su nombre al barco, animándolo así, se presenta en contraste con éste como un ser inanimado, sometido a una rutina de la que son indicios ese amor a la renta, rezo del rosario, etc. Lo mecanizado, es decir, sin alma, del mundo de la armadora tiene su opuesto en el barco de su propiedad. *Manuela Pla* se refracta, entonces, en dos imágenes: una viva —animada—, otra moribunda, de modo análogo a como el mar es a la vez el mar manso (dormido) del rezo y el mar "de verdad". Lo sin alma y lo animado: dos cosas que afectan constantemente la imaginación de Salinas, y entre las cuales esta vez se ha tendido el puente de un nombre [3].

He aquí otro poema:

> "Este hijo mío siempre ha sido díscolo.
> Se fue a América en un barco de vela;
> no creía en Dios; anduvo
> con mujeres malas y con anarquistas;
> recorrió todo el mundo sin sentar la cabeza...
> Y ahora que ha vuelto a mí, Señor,
> ahora que parecía..."
> Por la puerta entreabierta
> entra un olor a flores y a cera.
> Sobre el humilde pino del ataúd el hijo
> ya tiene bien sentada la cabeza.
>
> (Pr., 7)

Este poema, como el anterior, no es muy profundo que digamos. Pero, precisamente porque la imaginación se ejercita en un terreno trivial, nos muestra más al desnudo algunos de sus resortes; se nos muestra, como si dijéramos, en estado químico. Si la contemplación de un barco con nombre de persona (una cosa humanada) era lo que incitaba al ejercicio poético, ahora es una expresión del lenguaje diario: "sentar la cabeza". Salinas halla en ella motivo nuevo para su ingenio. La frase es distinta cuando la pronuncia la madre del díscolo y cuando la dice el poeta. En el primer caso se toma en su sentido corriente, de "corregirse el que era de costumbres desordenadas" (acepción del Diccionario) y, en el segundo, en su sentido literal, material. Es este sentido originario de las palabras —en el que normalmente no reparamos—, el que fascina al poeta. La cabeza (donde están las ideas) se sienta. Es decir, las ideas se sientan, se materializan. Se trata de un

---

[3] Manuela Pla (el barco) sería a Manuela Pla (la armadora) como el Escorial reflejado en las aguas es al otro, monumento nacional, reliquia perteneciente a un pasado tan glorioso como muerto.

proceso similar al que veíamos en *Manuela Pla*: allí, animación de lo concreto; aquí, concreción de lo abstracto.

Algo semejante ocurre en otro poema. El poeta ve un fruto que cuelga del árbol. El fruto es apetecible: "redondo y fresco". Pero la mano no se cierra sobre él para cogerlo:

> La mano da vueltas, vueltas
> por el aire; si se posa
> sobre cosa material,
> huye tras palpo suave,
> sin llegar nunca a cogerla.
> Siempre abierta. Es que no sabe
> cerrarse, es que tiene
> ambiciones más profundas
> que las de los ojos, tiene
> ambiciones de esa bola
> imperfecta de este mundo,
> buen fruto para una mano
> de ciego, ambición de luz,
> eterna ambición de asir
> lo inasidero.
>
>   (Pr., 3)

Lo inasidero es el alma (lo absoluto); el poeta rechaza la cosa material que carece de alma. Pero esto no importa ahora. Si citamos estos versos es porque ellos nos brindan una expresión análoga a "sentar la cabeza": "bola del mundo". Esta expresión, moneda corriente en el lenguaje como aquélla, llama la atención del poeta por ser un ejemplo magnífico de acercamiento y concreción de lo lejano. El mundo inmenso y enigmático queda visto en la figura abarcable, tangible de una bola. Que Salinas ha reflexionado sobre esta expresión lo prueba el análisis de los dos términos (bola, mundo), que escribe desligados del compuesto sintético que los traba: "ambiciones de esa bola / imperfecta de este mundo". El demostrativo, en su doble forma (*esa, este*), acentúa aún la atracción del mundo, que la bola consigue ya. Parece acercarlo, cogerlo, como se quiere que la mano haga. "*Esa* bola de *este* mundo" tiene, indudablemente, más fuerza actualizadora que "*la* bola *del* mundo". Pero el acercamiento es sólo uno de los polos del poema; el otro es el alejamiento. Por un lado, el mundo se nos acerca (bola... fruto... mano... asir); por otro, se nos aleja (ciego... luz... inasidero). Pero los contrarios (mundo, buen fruto) en vano tratan de unirse. El encabalgamiento destaca la desproporción de los términos y rompe toda unión (mano / de ciego... asir / lo inasidero).

De *Navacerrada, abril* son estos versos:

> Y de pronto mi mano
> que te oprime, y tú, yo
> —aventura de arranque
> eléctrico—, rompemos
> el cristal de las doce,
> a correr por un mundo
> de asfalto y selva virgen.
> Alma mía en la tuya
> mecánica...

El encabalgamiento nos obliga a analizar (deteniéndonos un momento) los dos contrarios que se unen: las prosaicas mecánica y electricidad en vivo contraste con lo inefable del alma y la aventura: "aventura de arranque / eléctrico"; "alma mía en la tuya / mecánica". También en "un mundo de asfalto y selva virgen" se asocia lo material con lo intrincado y misterioso de la selva.

DOBLE SENTIDO ANTITÉTICO DE LAS PALABRAS

Analicemos este poema de *Presagios*:

> Suelo. Nada más.
> Suelo. Nada menos.
> Y que te baste con eso.

Porque en el suelo los pies hincados,
en los pies torso derecho,
en el torso la testa firme,
y allá, al socaire de la frente,
la idea pura, y en la idea pura
el mañana, la llave
—mañana— de lo eterno.
Suelo. Ni más ni menos.
Y que te baste con eso.

(Pr., 1)

La imaginación de Salinas funciona como, al parecer, lo hacían las
lenguas primitivas, para las cuales una misma palabra encerraba dos
significaciones antitéticas[4]. Hemos visto antes cómo Salinas tendía a
juntar los dos planos (material, espiritual) en que veía disociada toda
realidad. Actitud que le llevaba a fijarse en expresiones como "sentar
la cabeza" o "bola del mundo", donde esos dos planos se mostraban
unidos. La culminación de este procedimiento está en dotar a una
misma palabra de ese doble plano; es decir, de un doble sentido antitético. Como si las palabras fueran monedas con dos caras opuestas y
el poeta tuviera siempre presente, a través de la cara vista, la cara no
vista. Así, *suelo* se asocia a su contrario *cielo* (sustituido en el poema
por *eterno*). Los dos términos son reversibles y, partamos de donde
partamos, iríamos a dar inevitablemente del uno al otro.

Suelo. Nada más.
Suelo. Nada menos.

Una misma realidad se valora de dos modos opuestos, porque cuando el poeta la enuncia por segunda vez ya no piensa en ella sino en
su contrario. Claro que como el lector no tiene la mentalidad del poe-

---

4 Vestigios de tan extraño uso se encuentran en lenguas modernas. El
latín *altus* es, a la vez, alto y profundo; y *sacer*, sagrado y maldito. En alemán, la palabra *Boden* significa lo más alto y lo más bajo de la casa. El inglés
ice, para expresar "sin", *without*, o sea, "consin".

ta (y para él *suelo* es "suelo", y no otra cosa), habrá de explicarse ese "Nada más. Nada menos" contradictorio. La asociación que da pie al poema, surgirá al final: "eterno. Suelo". El ciclo se ha cerrado; la palabra *suelo,* al repetirse por última vez, aparece aumentada en su nuevo sentido, ahora ya claro para el lector. Para llegar de un extremo a otro, el poeta ha montado cuidadosamente una serie de escalones ("en el suelo los pies... en los pies torso... en el torso la testa"). Repárese, además, en los términos empleados: "pies hincados" (como las raíces de un árbol hundido en tierra), "torso", "testa" (y los adjetivos *derecho, firme),* palabras del lenguaje escultórico, que comunican una idea de materialidad, de bulto, para que, acercándonos al cielo, no perdamos noción del suelo que nos sustenta, de la fuerza gravitatoria. "Al socaire de la frente" acentúa aún más, con la, en este caso, tan anómala expresión adverbial, la sugestión de bulto: no ya escultórico, sino de edificio, y es que realmente el poeta ha montado su figura humana, ladrillo por ladrillo, como un edificio. Pero como no hay ningún edificio, ninguna torre de Babel que pueda escalar el cielo, se ve obligado, en última instancia, a dar un salto; salto que viene muy expresivamente sugerido en los versos:

> ...y en la idea pura
> el mañana, la llave
> —mañana— de lo eterno.

Donde la palabra "mañana" (por oposición al *hoy* del poema) apunta a una lejanía, lo mismo que "llave", que supone algo que hay que abrir: una puerta cerrada; y sobre todo la repetición del *mañana* entre guiones, como si ese "mañana" —duplicado: doblemente lejano— perteneciera, además, a otra realidad, cuyos límites se destacan respecto a esta realidad en que nos movemos. (Del mismo modo que, según vimos, la felicidad vagaba por un mundo que no se confundía con el en que el poeta —cercado en un paréntesis— abría los brazos).

Por eso, aunque la estructura del poema es aparentemente cerrada, circular ("suelo... suelo": al comienzo y al fin), algo ha ocurrido que desmiente esa estructura. El círculo, en un momento dado, se escapa por la tangente. El subjuntivo optativo, único verbo del poema, con que se cierra éste: "y que te baste con eso", confirma lo que decimos. Se trata de un deseo: "y que te baste" (es decir, me baste, nos baste), muy distinto de una afirmación en indicativo, como sería: "y con eso te (me, nos) basta". En el poema inmediatamente siguiente de *Presagios*, el "agua en la noche", cuyo secreto demandamos, responde: "Que compasiones nocturnas *te basten*". Y, sin embargo, no nos bastan. La diferencia entre ambos poemas está en que, en un caso, el deseo es rechazado y en el otro no. Del rechazo nace un sentimiento de tristeza; así también en el poema *Mis ojos ven el árbol...* (Pr., 3), ya citado, en que la mano no acierta a cerrarse sobre el fruto, y permanece "siempre abierta".

> Cuando se cansa de inútiles
> devaneos, *tristemente*,
> se va en busca de su hermana...

Mano abierta como el poema, que no se cierra tampoco. Deseo insatisfecho. Tristeza.

Pero en el poema inicial, motivo de nuestro comentario, no hay tristeza porque, repetimos, no hay rechazo. En el fondo queda una afirmación: la del deseo nudo y enterizo.

Antes de abandonar este comentario quisiéramos mostrar cómo también en las palabras *torso, testa,* podría verse ese doble sentido antitético de que hablábamos. Por un lado, materializan la idea —la idea pura— que va a asentarse en ellas; le ofrecen un soporte, una concreción. Por otro, nos sitúan en un tiempo abstracto, no vital, el tiempo de las estatuas. Este segundo sentido se ve reforzado por la ausencia de verbo en la larga cláusula comenzada con "Porque..." (ausencia de tiempo: el verbo es la palabra del tiempo —Zeitwort—, como dicen los alemanes) y por la ausencia de artículo: "en los pies

torso derecho" [5]. No es difícil conectar este procedimiento con la intuición que hemos señalado como básica en la poesía de Salinas. Éste
anhela llegar a lo eterno (alma o esencia de los seres), en que tiempo
y espacio no existen; pero no le bastan las almas (o esencias) en sí,
sino encarnadas en un cuerpo —que existe en el tiempo y en el espacio—. ¿Qué hacer entonces? Destacar una circunstancia (espacio)
en aras de la otra (tiempo). Ni cielo abstracto ni concreto suelo. Cielo
y suelo a la vez. Las ideas cobran cuerpo y los cuerpos se animan.

OTROS EJEMPLOS

En el poema 9 de *Presagios,* la "tierra firme" es, a la vez, como
una "maroma sobre el abismo tendida". Es firme para el cuerpo, pero
no para el alma, expuesta a tropezar y matarse de un momento a otro;
de ahí que haya razón para pasearse por ella como un equilibrista
lleno de precauciones. Pero de nada vale.

> Porque un día, al tropezar
> —y andabas por tierra firme—
> te hiciste el alma pedazos.
> ¡Y verdad te fue la muerte,
> volatinero fingido!

Lo fingido (los volatines, el equilibrismo) para los que sólo ven con
los ojos del cuerpo, se torna verdad. Hay otra realidad además de la
que se ve.

Otro poema: *Cinematógrafo* (SA., 26), aparece dividido en dos
partes (1. Luz; 2. Oscuridad). Pero, paradójicamente, la luz del poema
se corresponde con la oscuridad real, y a la inversa. Cuando se hace la
oscuridad en el cine, se hace la luz para el poeta: la pantalla blanca

---

[5] "El nombre con artículo se refiere a objetos existenciales y sin él a objetos esenciales" (Amado Alonso, *Estilística y gramática del artículo en español,*
en *Estudios lingüísticos. Temas españoles,* Ed. Gredos, Madrid, 1954).

se puebla de seres; es el mundo, que nace. En tanto que cuando la luz vuelve a la sala, el mundo se desvanece. Lo que reina entonces es la nada, la oscuridad.

> El arco voltaico deja
> desparramarse su alma
> y lo entenebrece todo
> la luz, madre de tinieblas.

Es interesante, además, en este poema, ver cómo el mundo inmenso se encuadra en las líneas de la pantalla, que lo aprisionan (y que desempeñan así un papel parecido al que antes vimos en el sustantivo *bola*: "bola del mundo" y en el demostrativo de cercanía *este*):

> La tela rectangular
> le oprimió en normas severas,
> le organizó bruscamente
> con dos líneas verticales,
> con dos líneas horizontales.

Otro caso en que la palabra significa lo contrario de lo que dice, lo tenemos en el poema *Los adioses* (FyS., 29). Allí, la palabra *adiós* une, en vez de separar.

> Adiós. Si te digo adiós
> no nos separaremos tan pronto.

Es la misma complejidad de la palabra (de toda palabra) la que hace que esto sea así. Como antes necesitaba explicársenos aquel "Suelo. Nada más. / Suelo. Nada menos" contradictorio, fruto de una comprensión antitética de la palabra *suelo,* así ahora ha de explicarse, y no sólo al lector sino a la mujer del poema, las raíces del *adiós:*

> Y ahora ya no podemos
> irnos así.

Hay que quedarse.
Tenemos que decirnos adiós.
Desenredar esa madeja
del adiós redondo.
Explicar, explicarnos, las entrañas
vivas o muertas del adiós.

Pero la situación aquí es tanto más sorprendente cuanto que la
palabra que acaba de decirse es, justamente, aquella que suele ser la
última, y que ahora deja de serlo porque hay que explicársela. El sentido que la palabra revela es, pues, rigurosamente contrario de su sentido habitual.

En el poema *Los mares* (SA., 17), la palabra "mar" se refracta en
una serie de imágenes (hasta cinco), todas distintas. La última imagen
es un paisaje desértico, un paisaje donde el mar brilla por su ausencia:

El mar. Las rastrojeras
ardidas.
Un chopo solo y quieto.
Esqueléticos galgos
buscan agua en un cauce
seco.

Cauce (pero sin agua). El encabalgamiento, otra vez, destaca los
contrarios. Las entrañas del mar son ahora visibles.

Veamos, para terminar, este soneto:

Cerrado te quedaste, libro mío.
Tú, que con la palabra bien medida
me abriste tantas veces la escondida
vereda que pedía mi albedrío,

esta noche de julio eres un frío
mazo de papel blanco. Tu fingida
lumbre de buen amor está encendida
dentro de mí, con no fingido brío.

> Pero no has muerto, no, buen compañero,
> que para vida superior te acreces:
> el oro que guardaba tu venero
>
> hoy está libre en mí, no en ti cautivo,
> y lo que me fingiste tantas veces
> aquí en mi corazón lo siento vivo.
>
> (Pr., 24)

Es uno de los tres sonetos que se incluyen en las *Poesías completas* de Salinas. La vinculación de contrarios es aquí algo estructural. El libro se nos aparece cerrado, frío, muerto (para los ojos del cuerpo; situación exterior), y, al mismo tiempo, abierto, encendido, vivo (para el espíritu: situación interna). La *"fingida* lumbre" está encendida "dentro de mí, con *no fingido* brío". El oro de sus páginas "hoy está *libre* en mí, no en ti *cautivo*". El posesivo *mío* ("libro mío") es característicamente saliniano: "naranjo mío" (Pr., 21); "Tú, mía" (FyS., 23). Surge allí donde dos almas se encuentran.

En igual orden de cosas, la forma rígida del soneto se deshace, en parte, por la ilación de los dos cuartetos y los frecuentes encabalgamientos que distienden el endecasílabo ("escondida / vereda"; "frío / mazo"; "fingida / lumbre"). El verso y la estrofa no llegan a adquirir suficiente autonomía. Aquí no son contrarios los que se encabalgan, pero sí, en los tres casos, un adjetivo con su sustantivo. El retardamiento del sustantivo subraya lo abstracto de la cualidad, que esperamos ver concretada en un cuerpo: un sustantivo que le sirva de soporte.

En el soneto que antecede a este que comentamos, Salinas habla de la "arquitectura" de un "fuego de artificio"; la imagen se repite unos versos después: "fúlgido edificio". No se nos ocurre definición mejor que esta del propio poeta, para ese doble proceso contradictorio de concreción y esfumamiento.

TIEMPO Y ESPACIO

Vimos antes cómo el poeta en su afán por dar cuerpo a lo abstracto, al alma, y por animar los cuerpos, valiéndose del sistema de coordenadas espacio y tiempo, que delimitan cuanto existe, afirmaba una de esas coordenadas para negar la otra. De tal modo, se sugería ese alcanzar la esencia de las cosas sin perder el contacto con la existencia. Mostremos otros ejemplos.

El poema *Fecha cualquiera* (SA., 8) alude, en su título, a una indeterminación temporal, que contrasta con las formas rigurosas, geométricas, que el poeta ve en la tarde:

> ¡Ay qué tarde organizada
> en surtidor y palmera,
> en cristal recto, desmayo;
> en palma curva, querencia!

Si la tarde se difumina en un tiempo vago, un tiempo cualquiera, las líneas geométricas la organizan; impiden que se esfume totalmente. Recordemos cómo también las líneas de la pantalla del cinematógrafo organizaban el mundo inmenso. Aquí lo lejano, lo inmensurable, se ciñe igualmente a la exactitud de la línea. El poeta fija su atención en el "pico de las cigüeñas", al que llama "compás de los horizontes". Se asocia lo lejano, lo infinito ("horizontes") con lo rígidamente geométrico ("compás"). El mismo sentido tiene el verso "telégrafo, nubes blancas". Las líneas paralelas del telégrafo asociadas con lo lejano y borroso. El poema consiste así en una serie de tensiones entre lo vago y lo concreto:

> ¡Qué perfecto lo redondo,
> verde, azul! ¡Ay, si se suelta!
> Lo tiene un niño en un hilo.
> ¡Quieto,
> aire del sur, aire, aire!

> La pura geometría,
> dime,
> ¿quién se la quita a la tarde?

Pero la geometría, por sí sola, ¿no es ya una manera de abstracción, a la par que de fijar, de concretar lo lejano? :

> El mundo es infinito,
> profusión de mentira.
> De verdad
> recta y curva no más [6].

La geometría, sí, con su sistema de rectas y curvas, impide que las cosas se volatilicen, se confundan, delimitándolas rigurosamente. Introduce un orden en la infinitud del mundo, que deja de ser engañoso desde el momento en que podemos medir sus lejanías. Pero, al mismo tiempo, reduce, como si dijéramos, la cosa a su radiografía. No es una cosa lo que tenemos delante, sino un espectro de cosa : lo que, traducido a nuestro lenguaje, quiere decir un alma, una esencia :

> Geometría, nieve,
> ingrávidas queridas.

La misma significación que la geometría tiene la aritmética. Sin salirnos de la exactitud, sin caer en la vaguedad : "En vez de soñar, contar", se nos dice (*Escorial. II, FyS.*, 24), nos vemos abocados al misterio de los números. Misterio abarcable, congruente, y que, por eso mismo, agrada al poeta. Éste rechaza el misterio que le proponen las estrellas, porque no lo entiende, y se queda mirando a dos hombres que, en la mesa de al lado, echan cuentas. (*Números, SA.*, 22) :

> Más bellas que los luceros,
> fúlgidas, cifras y cifras...
> Y yo me quedé mirándolas :

---

[6] *Los equívocos, SA.*, 13.

> —¡qué constelación perfecta
> tres por tres nueve!— olvidado
> de Ariadna, desnuda allí
> en islas del horizonte.

"Fúlgido edificio" podríamos decir otra vez. Antes arquitectura, ahora matemática aprisonan el huidizo misterio; ya no indescifrable, sino claro, exacto. Se rechaza el "allí" por el "aquí", si bien éste es el aquí de los números, no de la vida: un "aquí" salvado del caos de la vida, salvado del tiempo.

El poema *El mal invitado* (SA., 9) insistirá en este "aquí":

> Quedarme aquí
> en esta casa
> donde estoy de paso.

El infinitivo ("quedarme") no precisa el tiempo; subraya así la forma la idea verbal. Que no pase el tiempo, pero que el *aquí* perdure. Todo para no inducir al lector a creer que nos remontamos a un cielo abstracto. Es una inmortalidad de carne y hueso lo que se desea: una inmortalidad muy a la española, a lo Miguel de Unamuno.

LA ESTROFA

Vamos viendo cómo la poesía de Salinas es la expresión de un conflicto entre dos fuerzas: el cuerpo y el alma, lo abstracto y lo concreto, que el poeta trata de calmar. Trata de conseguir el equilibrio justo entre ambas fuerzas. Un ejemplo magnífico de esto lo tenemos en el poema *Figuraciones* (SA., 2):

> Parecen nubes. Veleras,
> voladoras, lino, pluma,
> al viento, al mar, a las ondas
> —parecen el mar— del viento,

al nido, al puerto horizontes,
certeras van como nubes.

Parecen rumbos. Taimados
los aires soplan al sesgo,
el sur equivoca al norte,
alas, quillas, trazan rayas
—aire, nada, espuma, nada—,
sin dondes. Parecen rumbos.

Parece el azar. Flotante
en brisas, olas, caprichos,
¡qué disimulado va,
tan seguro, a la deriva
querenciosa del engaño!
¡Qué desarraigado, ingrávido,
entre voces, entre imanes,
entre orillas, fuera, arriba,
suelto! Parece el azar.

Vemos aquí al "seguro azar" que da título al libro. Desarraigado, ingrávido, se le compara a las "nubes" y los "rumbos"; es decir, a realidades borrosas, de contornos vagos. Las nubes son tan pronto *lino* como *pluma, veleras* como *voladoras* (la alternancia de vocales dentro de una identidad consonántica: *v ‑ l ‑ r ‑ s*, nos hace pensar en una fuga musical). Los límites no son claros. Las dos imágenes se confunden en una que las soporta a ambas: "ondas" (del mar o del viento). Lo mismo: "horizontes", refiriéndose por igual al nido (pluma, viento) y al puerto (lino, mar), en un verso muy comprimido.

En la estrofa segunda el "sur" se confunde con el "norte". La huella que dejan las alas y las quillas —prosigue la imagen de la primera estrofa— se borra en seguida: "aire, nada, espuma, nada", y los rumbos son rumbos "sin dondes". La estrofa tercera contiene una enumeración caótica: "en brisas, olas, caprichos" [7]. Además, cada estrofa

---

7 Utilizamos la conocida (e inmejorable) definición de Leo Spitzer (V. *El conceptismo interior de Pedro Salinas* y *La enumeración caótica en la poesía*

LINAS. — 3

deja en su primer verso un adjetivo colgado, menesteroso de una sustancia en que apoyarse:

> Parecen nubes. Veleras...
> Parecen rumbos. Taimados...
> Parece el azar. Flotante...

Mas, pese a todo, ese azar flotante, "a la deriva, fuera, suelto", como las nubes y los rumbos, va "entre imanes, entre orillas", y, más aún, va "seguro", y sabemos que, tarde o temprano, se posará, se ceñirá en algo. De otro modo no interesaría al poeta ("seguro azar", no azar puro: la contradicción no puede ser más expresiva) [8]. Adviértase,

---

moderna, en *Lingüística e historia literaria,* Ed. Gredos, Madrid, 1953, pp. 240-49 y 339-42).

La enumeración caótica, en Salinas, es expresión tanto del caos del mundo real, en que se mueve el poeta (caos que proviene de la variedad de formas encubridoras del alma única: "brisas, olas, caprichos"), como del deseo de romper las barreras entre las cosas, que impiden su encuentro; en definitiva, de reconciliar el alma con el cuerpo: con las formas cambiantes. (Lo que distancia a los seres, unos de otros, es el distanciamiento en que viven respecto de sí mismos, es decir, de su alma). Con este segundo sentido aparecerá la enumeración en aquellos poemas que cantan una visión del paraíso (tal como Salinas lo concibe):

> Con las tiendas sin nadie:
> se vendían paisajes,
> héroes, teorías,
> arpas.
>
> (*La tarde libre,* FyS., 17)

Lo animado y lo inanimado, lo abstracto y lo concreto se funden. Es el caos del paraíso (donde los límites espacio-temporales no existen), no el del mundo real.

[8] En la percepción de estos motivos nos ha precedido A. Valbuena Prat: "Emoción e inteligencia, construcción firme y ensueño esfumante representan la dualidad que desarrolla la trayectoria de este poeta, de clasicismo castellano y brisa de mar levantina: arquitectura y mundo a la deriva, como en los versos ágiles y finos, que definen toda una actitud:

> Las columnas sostienen
> techos de nubes blancas.

además, cómo la materia holgada del poema es contrarrestada aquí por
el uso de la estrofa (una forma poética que aporta un cauce) y que
Salinas no emplea casi nunca.

Los poemas de Salinas suelen tener una forma abierta: como la
mano que no llega a cerrarse sobre el fruto apetecido, los versos se
alargan, se acortan, se encabalgan, en una serie de accesos y retrocesos,
de avances y detenciones, que traduce muy bien el anhelo latente en
el fondo. Anhelo, afán de conquista. Lo raro es que este movimiento
se apacigüe, encerrándose en los límites de la estrofa [9]. Estamos, pues,

Por lo tanto, un acaso: "flotante en brisas, olas, caprichos", y a la vez
imanes, orillas, cauce, límite. Es toda una definición el título del libro en sus
dos palabras: Seguro azar (Historia de la literatura española, 3.ª ed., Barcelona, 1950, vol. III, pág. 647).

También Eugenio d'Ors, hace ya años (en una glosa de 1925), señaló esta
dualidad, aunque relacionándola con motivos históricos, y no, como hacemos
nosotros, con la peculiar cosmovisión del poeta: "Aún combaten, en los versos de Pedro Salinas, Arimán y Ormuz. El demonio de la Sugestión, cuyo fue
el fin de siglo —teste, Maurice Maeterlinck con Giovanni Pascoli— frente al
verbo de la Nominación —la palabra pan, el Homa persa—, fuerza sagrada,
comunión ardiente de los hombres nuevos... O, si se quiere, sustituyendo dios
por culto, la superstición de la Vaguedad frente a la ascesis de la Precisión"
(Nuevo Glosario, M. Aguilar, Madrid, 1947, vol. I, p. 997).

[9] Recordemos que cuando Salinas se sirve de una forma rígida como el
soneto, la destruye hasta cierto punto. El soneto, en sus manos, se hace más
alado: "fúlgido edificio". Gerardo Diego advirtió ya esto en el momento mismo de la aparición de Presagios: "Léanse atentamente los tres sonetos clásicos
que promedian la serie, y se verá cómo el gesto de fragilidad, de lenidad
aérea persiste a través del andamiaje férreo de la estrofa (...) La poesía española, que suele pecar de abrupta y maciza, se redime y desquita con estas
ingrávidas, sutiles arquitecturas" ("Pedro Salinas: Presagios", en Rev. de Occidente, tomo V, Madrid, 1924).

Estamos ante una característica esencial de la poesía de Salinas, que ha
sido notada convenientemente por otros críticos. Tal Luis Felipe Vivanco, en
su libro Introducción a la poesía española contemporánea (Ed. Guadarrama,
Madrid, 1957): "Si la poesía de Guillén está sometida al rigor de la estrofa y
es poesía discontinua en figuras, nada más irreductible a estrofas que el fluir
poético-poemático de Pedro Salinas. Un fluir en el que la misma corriente
poética se ha convertido en forma poemática, y una forma, por lo tanto, del
hacer y en el hacer mismo" (p. 105).

Y la misma justa observación hace Julián Marías: "En Salinas —que en
esto se opone estrictamente a Guillén— es esencial la elocución, lo dicho, que

ante una anormalidad (respecto de lo que es norma en Salinas), que necesita explicación. La estrofa tiene aquí función compensatoria: concreción de lo abstracto o difuso, como en el caso de "bola del mundo" o "sentar la cabeza".

Obsérvese también que las estrofas terminan del mismo modo que empiezan (salvo una ligera variación en la primera). La estrofa se cierra, se muerde la cola; con lo que los versos, si bien sueltos, se encuadran rígidamente.

El poema *Otra tú* (SA., 3) muestra también un desarrollo estrófico, no menos interesante, aunque distinto del anterior. Vamos a copiarlo:

No te veo la mirada
si te miro aquí a mi lado.
Si miro al agua la veo.

Si te escucho,
no te oigo bien el silencio.
En la tersura
del agua quieta lo entiendo.

Y el cielo
—tú le miras, yo le miro—,
no es infinito en lo alto:
el cielo
—en su baranda te apoyas—
tiene cuatro esquinas, húmedo,
está en el agua, cuadrado.

Este poema es curioso porque en él la imagen del agua se utiliza con una doble función. En las dos primeras estrofas, el agua, como en el poema *Jardín de los Frailes*, sirve para "sacar el alma". El poeta rechaza lo que ve y lo que oye, el mundo de los sentidos, porque ello le impide alcanzar el alma, que no se ve, o el silencio (silencio = alma).

---

sigue su curso a lo largo de los versos, levemente matizado por los elementos formales de éstos" (*Una forma de amor: la poesía de Pedro Salinas*, en *Aquí y ahora*. Col. Austral, Buenos Aires, 1954, p. 138).

Allí, en el agua, encuentra lo que busca : lo que no encontraba "aquí". El verso habitualmente desigual, caprichoso de Salinas se reduce a cierto orden :

> Si te escucho,
> no te oigo bien el silencio.
> En la tersura
> del agua quieta lo entiendo.

La rima aparece también. Pero el orden no excluye la gracia. Sentimos como los juegos de reflejos del agua : de un agua tersa y remansada, que nos hace pensar, de nuevo, en *Jardín de los Frailes* [10]. El paralelismo de los versos se ve acrecido por un paralelismo lógico : "No te veo, si te miro" ; "No te oigo, si te escucho" ; "En el agua, te veo, te entiendo".

Frente a esta animación del cuerpo, del *aquí*, la estrofa última incorpora el *allí* al *aquí*, el cielo a la tierra, en un proceso inverso del anterior (aunque el resultado venga a ser exactamente el mismo). Lo lejano, lo infinito (el cielo) se nos acerca, se encuadra entre los límites del agua —agua de estanque—, que es como la pantalla rectangular ya antes vista. Y lo mismo que el agua, la disposición de la materia verbal encuadra los versos :

> Y el cielo
> —tú le miras, yo le miro—,
> no es infinito en lo alto :
> el cielo

---

[10] Recordemos :

> ¡Qué latido
> en ansias verdes, azules,
> en ondas, contra los siglos
> rectilíneos !

El poeta sustituye la geometría inerte del Escorial por un agua geométrica, que aprisiona reflejos (el alma del edificio). Salvación de la geometría, podría titularse ese poema.

Cuatro versos que se distribuyen en dos pares en cuanto a su longitud: el primero y el cuarto son, además, casi iguales ("Y el cielo... el cielo"), con lo que se acentúa la sugestión de marco. El segundo verso se distribuye en dos frases paralelas:

—tú le miras, yo le miro—,

y se corresponde con el quinto, también entre guiones:

—en su baranda te apoyas—

Finalmente, en los dos últimos versos, distinguimos cuatro términos (cuatro otra vez, como los lados de un rectángulo) que se entrecruzan:

tiene cuatro esquinas, húmedo,
está en el agua, cuadrado.

Reintegrando estos términos a su disposición lógica, tendríamos:

tiene cuatro esquinas, cuadrado,
está en el agua, húmedo.

La forma que ofrecen los versos es, por tanto, ésta:

A   B
B   A

Entrecruzamiento que, como se ve, recuerda el de las diagonales de un cuadrado o rectángulo.

En el poema *Los adioses* aparece también el agua con la misma significación. Es el "adiós", cuyas entrañas se escudriñan, el que queda comparado al agua:

Apoyados
estamos en la baranda
sobre el agua del adiós.

> No está turbia ni vacía.
> Tiene nubes, hojas, vuelos
> dentro...

La baranda aparece de nuevo, para indicarnos que se trata de un agua de estanque: un agua encerrada dentro de unos límites. Límites que aprisionan, como antes, lo infinito, lo inmensurable (nubes, vuelos), que, de este modo, deja de serlo. El agua lleva dentro todo eso. Pero el agua revela también, lo mismo que antes, el alma de la amada:

> Se te ve en el agua —adiós—
> mucho mejor que en tu cara.
> Se te ve en el agua —adiós—
> mucho mejor que en mi alma.

La criatura que se refleja en el agua es una criatura más completa (cuerpo y alma unidos) que la que se ve (cuerpo sólo) o la que vive en el poeta (alma sólo). Ni amada corporal ni ideal. La forma abierta, sinuosa del poema, se aquieta aquí en esos versos que son como una estrofa al margen. Cuatro versos de igual medida, con rima y todo, frente a la libertad de los que anteceden y siguen. La tensión característica del poema saliniano desaparece allí donde el equilibrio de fuerzas (cuerpo y alma) se produce. Lo que llamamos estrofa encuentra ahora su explicación.

RECURSOS FONÉTICOS

Veamos este poema de *Seguro azar:*

> Invierno, mundo en blanco.
> Mármoles, nieves, plumas,
> blancos llueven, erigen
> blancura, a blanco juegan.
> Ligerísimas,
> escurridizas, altas,

las columnas sostienen
techos de nubes blancas.
Bandas
de palomas dudosas
entre blancos, arriba
y abajo, vacilantes
aplazan
la suma de sus alas.
¿Vencer, quién vencerá?
Los copos
inician algaradas (...)
Y la que vence es
rosa, azul, sol, el alba:
punta de acero, pluma
contra lo blanco, en blanco,
inicial, tú, palabra [11].

La lucha que describe este poema entre un abstracto mundo en blanco (invierno, cuartilla) y los elementos que quieren destacarse en la monotonía de esa blancura (el alba, la palabra), y que al fin vencen, tiene una adecuada representación fonética. Hay aquí, por debajo de la lucha que se expresa en conceptos, otra menos visible (porque habla a la sensibilidad y no a la inteligencia): una lucha de vocales cerradas extremas (*u*, y secundariamente *i*) que perturban la uniformidad vocálica (en *a*) de otras palabras (altas, blancas, alba, palabra...). Es decir, la uniformidad de un mundo en blanco.

Ligerísimas,
escurridizas, altas,
las col*u*mnas sostienen
techos de n*u*bes blancas.

Las vocales extremas, a causa de su rareza [12] (más llamativa aún aquí por el hecho de caer en ellas el acento) fustigan insistentemente

---

la imaginación del lector; el contraste con la vocal abierta *a* las resalta también de otro modo. Son como estallidos de color en un tejido monótonamente blanco de *aes*:

> Y la que vence es
> rosa, az*u*l, sol, el alba:
> p*u*nta de acero, pl*u*ma
> contra lo blanco, en blanco,
> inicial, t*ú*, palabra.

Al final vence la punta de la pluma, que rompe la blancura de la cuartilla, escribiendo en ella una palabra. Vence la vocal extrema *u:*

> inicial, t*ú*, palabra.

Esa *u* final, definitiva, multiplica sus efectos por la serie de las que la anteceden. En este verso hay como un quiebro, sugerido por las *íes (inicial)*, que anuncian la *u* que, como una banderilla, va a clavarse en el toro blanco de la abstracción.

La indecisión, en esta lucha, viene representada por esas "palomas dud*o*sas / entre blancos, arr*i*ba / y ab*a*jo". Es decir, por la *o* (vocal intermedia: en cuanto a su abertura), equidistante por igual de la *i* (representante de lo concreto) y de la *a* (representante de lo abstracto). Lo mismo en:

> Los c*o*pos
> *i*ni*c*ian *a*lg*a*ra*da*s.

Nueva indecisión de la *o* entre la *i* y la *a*. Otro verso plasma fonéticamente la lucha misma, el entrechocar de los contrarios:

> la suma de sus alas.

La radiografía vocálica de este verso es la siguiente (prescindiendo de la *e* de la preposición): "a- ú- a- u- á- a". Vemos como una serie

---

material fonético del idioma): *a*, 16 %; *e*, 14; *o*, 10,4; *i*, 6; *u*, 3,6 (*Manual de pronunciación española*, Madrid, 1953, p. 75).

de ascensos (al cielo de las *aes*) y de hundimientos a la tierra de lo concreto. Ese doble movimiento, hacia arriba y hacia abajo, lo trans-mite también la medida desigual del verso:

> Ligerísimas,
> escurridizas, altas,
> las columnas sostienen
> techos de nubes blancas.
> Bandas...

A partir del verso inicial hay una rápida, ligera subida. Allí ascen-dido, el verso se sostiene un instante, para caer luego a pico desde las "nubes blancas" hasta las "bandas": verso corto, de escaso vuelo, pe-sado en su mismo consonantismo oclusivo (que resta ingravidez a las aéreas *aes*).

La estructura dramática del poema saliniano encuentra, según ve-mos, en estos juegos fonéticos, un medio más (no conceptual) de ex-presión.

En el mismo título *Seguro azar*, ¿no podríamos ver la *ú* insinuante que altera la pureza (a-a) del azar? Azar indiferente, de nadie, que, de pronto, baja de los cielos a encarnarse en un cuerpo. La contra-dicción de las dos palabras que se unen se vería entonces reforzada por la aludida contradicción vocálica.

Otro poema —*Aquí* (FyS., 10)— muestra en su contextura foné-tica el mismo dramatismo que venimos señalando. La lucha no se en-tabla ahora entre lo concreto y lo abstracto, sino (lo que es casi igual) entre el tiempo y la eternidad. Siempre los contrarios:

> Me quedaría en todo
> lo que estoy, donde estoy.

Es el deseo más ardiente del poeta. Concretar lo abstracto, eterni-zar el tiempo. Es el deseo de inmortalidad a lo Unamuno: que no renuncia a la envoltura corporal:

> Ni futuro ni nuevo
> el horizonte. Esto
> apretado y estrecho,
> tela, carne y el mar.
> Nada promete el mundo:
> lo da, lo tengo ya.
> Nunca me iré de ti
> por el viento, en las velas,
> por el alma, cantando,
> ni por los trenes, no.
> Si me marcho será
> que estoy
> viviendo contra mí.

Los acentos agudos de las palabras en fin de verso (mar, ya, ti, no, será, mí) son como clavos, un clavo tras otro clavo, que intentan aprisionar, fijar una realidad huidiza. Véase cómo, en contraste con la acentuación aguda, aparece una acentuación llana en dos versos que son, justamente, aquellos en que se alude a una posible escapatoria:

> por el viento, en las velas,
> por el alma, cantando.

Viento, velas, alma, canto: todo bien inconsistente. Además, el vocalismo es, en estos versos, claro, abierto (*e, a*). El consonantismo, por su parte, con las aladas *eles* y *uves* fricativas, aporta una gran ligereza.

Al lado de estos ejemplos, en que la pugna de vocales traduce una estructura dramática, Salinas, en uno de los poemas que cantan una visión paradisíaca, se servirá también de recursos fonéticos. Nos referimos al poema *Playa* (SA., 49): allí, en la playa, o más exactamente en el mar, mientras nada, mientras flota, el poeta pierde noción del tiempo y espacio. Está como si estuviera en el paraíso. La vocal clara *i* se impone entonces. La rima en *á-a* arrastra hacia sí las otras vocales, sin que esta vez ninguna dé lugar a una tensión; ninguna, destacándose, perturbe la armonía que las *aes* establecen. He aquí los versos finales:

> Su silencio echan a vuelo
> enmudecidas campanas
> y cumplen su juramento
> los horizontes del alba:
> la vida toda de día,
> sin lastre, pura, flotando
> ni en agua, ni en aire, en nada.

LAS REALIDADES INTERMEDIAS

Decíamos al principio que para que un ser revele su alma (y entre así en comunicación con otro) hace falta un clima especial. Veíamos allí cómo la noche o el silencio eran propicios a la revelación. Es fácil comprender que así sea. Con la noche se borran los límites de las cosas, sin que éstas desaparezcan. Siguen existiendo: hay que partir siempre de la existencia, pero ésta no es ya la que tienen de día. De día se ven los contornos que delimitan, que aíslan unos seres de otros, que los distancian. La comunicación es imposible. Sólo existen los cuerpos, y éstos no dialogan, aunque otra cosa parezca. No se puede llamar diálogo a esa cháchara cotidiana, que interpone barreras en vez de derribarlas. El distanciamiento físico —que el día acentúa— es expresión de un distanciamiento espiritual. Sólo las almas dialogan. Sólo el amor (el encuentro de dos almas) es comunicación auténtica. Por eso el silencio, abolición del parloteo diario, es propicio al encuentro. Las almas, para dialogar, no necesitan de palabras [13].

---

13 Claro que contra los peligros de un silencio excesivo, el poeta reacciona:

> ¡Cuidado!, que te mata
> —fría, invencible, eterna—
> eso, lo que te guarda;
> eso, lo que te salva,
> el filo del silencio que tú aguzas.
>
> (SA., 7)

Detengámonos un poco en estos paisajes. No sólo la noche o el silencio, sino la tarde, el crepúsculo, el otoño, etc., son aliados del poeta. Y quizá estos últimos más ejemplarmente que aquéllos. La noche o el silencio (o la blancura del paisaje nevado, en *Navacerrada, abril*), elegidos por su pureza, que contrasta vivamente con la vulgaridad y prosaísmo, con la mentira del mundo en que habitualmente nos movemos, se inclinan, sin embargo, demasiado a un extremo, haciéndonos perder el contacto con la tierra. Ya vimos los peligros del silencio. El crepúsculo, el otoño restablecen el equilibrio. Esa luz intermedia difumina el perfil de las cosas sin que éstas lleguen a hundirse en lo negro. Están allí, presentes, pero más cerca unas de otras, más cerca nosotros de ellas, como si de los límites, netos de día, que empiezan a desvanecerse, se desprendiesen efluvios que misteriosamente nos unieran. El poema *Tránsito* (SA., 12), bien expresivo en su título, nos sitúa en un paisaje otoñal:

> ¡Qué princesa final la última hoja
> de otoño pasa por en medio, lenta,
> de la ancha calle sola! (...)

> El viento, su destino, ya la sube,
> alma, al cielo.
> ¡Adiós! Invierno, ¡qué anarquía!, invierno.
> Las dinastías verdes,
> cumpliendo trasatlánticos destierros,
> esperan
> abril, clarín, restauración segura.

He aquí la blancura, toda alma, del invierno: extensión desértica, como un trono sin rey. ¡Qué anarquía! Menos mal que se presienten los cuerpos pujantes, ardorosos —las dinastías verdes; es decir, las hojas verdes de la primavera—, que ahora cumplen destierro trasatlántico en espera de su restauración segura. Para abril reinarán de nuevo.

Sin voz, desnuda, se titula este poema. Insuficiencia del alma sola, sin cuerpo. Silencio = alma, hemos dicho hace poco.

El poeta, como siempre, ve la otra cara de la moneda. Pero entre ambas caras hay una intermedia: el otoño, que participa de las dos. La hoja (el cuerpo), entonces, revela su alma:

> El viento, su destino, ya la sube,
> alma, al cielo.

El poema *Acuarela* (SA., 32) nos introduce también en una realidad intermedia: un cielo gris. Color entre los extremos blanco y negro. En tal marco, las niñas "esperan los barcos de oro" y los mozos "aguardan que se abran cancelas a patios sin fondo".

Otro poema —*Madrid, calle de...* (SA., 25)—, tiene como protagonista una calle que, a la hora de la tarde, descubre su ser íntimo: su asfalto, como un espejo limpio, antes transitado y, por eso, no visible:

> ¡Pero qué libre aquella tarde, fuera,
> prisionero, escapado! Nadie
> vino a mirarse en él. Él sí que mira
> hoy, por vez primera es ojos.
> Cimeras ramas, cielos, nubes, vuelos
> de extraviadas nubes, lo que nunca
> entró en su vida, ve.

La calle, de ordinario atada a sus límites, tiene ahora la posibilidad de eludirlos, asomándose a un cielo infinito. ¿Y el cielo, las nubes que por él vagan, no vendrán a buscar en el espejo de la calle unos límites para tomar cuerpo? Cada uno busca lo que no tiene: unos limitarse y otros deslimitarse. El espejo cumple en la poesía de Salinas una función análoga a la del agua; pertenece al tipo de realidades que sacan el alma (o que la dotan de límites) [14]. En este mismo poema, el asfalto,

---

[14] Ejemplos de lo uno y lo otro pueden encontrarse en el poema 8 de *Presagios*: "Toda el alma para ti, / murmuras, pero en el pecho / siento un vacío que sólo / me lo llenará ese alma / que no me das. / El alma que se recata / con disfraz de claridades / en tu forma del espejo", y en el titulado *Marco* (SA., 42): "¡Qué cuadrado está el mar! / Tiene / costas inverosímiles, / cuatro lindes de oro. / Su corazón titánico / palpita en un espejo".

primero comparado al azogue, se compara, al final, a un estanque (lo que prueba la identidad de las dos imágenes). "Crepusculares golondrinas secas" —secas a diferencia de los húmedos peces— surcan el agua de ese estanque.

Podríamos, por lo que se ve, establecer una distinción entre realidades que revelan el alma o, mejor, la unidad del ser (agua, espejo) y realidades en que esa unión deseada se produce (crepúsculo, noche, otoño, etc.). La diferencia está entre ser agente o ambiente, pero no es una diferencia del todo clara.

Otro de los objetos del mundo de la técnica, que impresionan al poeta, es el teléfono. Encuentra su explicación en este apartado. El teléfono reduce el ser de una persona a su voz; su cuerpo se borra (como en la noche). La voz, entonces, ¿no adquiere una calidad de alma? :

> ...Me llegabas,
> en alambre, por tu voz.
> El mundo era, aquí, tu voz.
> ¡Qué ojos sin color, qué boca
> sin trazo, qué carne ausente
> de lo blanco, de lo rosa,
> qué tú deshecha, tu voz! [15].

Mas la aniquilación del cuerpo que el teléfono lleva a cabo quizá sea excesiva. Volvemos a los peligros de que hablábamos: peligros de la noche, peligros del silencio. Nos salimos de las tintas medias del crepúsculo, del otoño, en que los cuerpos, aunque borrosos, son aún perceptibles. Vivir en la voz es vivir en un hilo (falto del soporte, casi total, del cuerpo). En un alambre. El poeta ha transformado, con notable ingenio, el alambre del teléfono en el alambre del equilibrista de circo, expuesto a caerse, y matarse, de un momento a otro:

> Pero tú te me acercabas
> —circos azules del aire—

---

[15] *El teléfono* (FyS., 26).

con el tonelete blanco,
en la mano el balancín,
sonriente en el alambre...

Por el aire los alambres
en donde ibas a callar.
En donde ibas a morirte.

... al callar te morirías,
tú, vividora en tu voz.

LOS OBSTÁCULOS (I)

Por lo expuesto se va viendo lo difícil que es, para un individuo,
la reconciliación con su alma. Ésta se esconde tenazmente tras las múltiples apariencias falsas que se nos presentan. Vivimos entre apariencias. Hace falta un esfuerzo para acceder a la intimidad del ser. La
noche, el crepúsculo favorecen el descubrimiento de esa intimidad.
Mas también en la noche, muchas veces, fracasan nuestros esfuerzos:
ya vimos cómo el "agua en la noche" negaba su secreto, dejándonos
solos. En el poema 38 de *Presagios* el mundo se entra por la abierta
ventana, y se refleja en un espejo que hay en el fondo de una habitación. Es, además, la hora del crepúsculo. He aquí juntas dos de las
realidades (crepúsculo, espejo) que antes vimos eran eficaces mediado-
ras para la revelación del ser pleno. La ocasión parece que no puede
ser más propicia. Sin embargo, la deseada revelación no se produce.
Tan sólo un amago de revelación:

    ¿Será posible? Acaso...
    Me lanzo a la ventana. Miro:
    cada cosa en su sitio, como siempre:
    la montaña, el poniente y la estrella primera,
    otra vez me confirman esa orden
    que al nacer entendí, sin nada nuevo.

Siguen las cosas en su sitio, encerradas en sus límites. Aisladas, distanciadas. Las luces vagas del atardecer no tienden ahora los hilos que las unan, que las confundan.

Hemos, pues, de considerar como excepcionales aquellos poemas en que la unión (o revelación) se produce. El poeta, nuevo don Quijote, ha expresado en sus versos el esfuerzo por destruir ese mundo de apariencias en que vivimos: mundo de la prosa, de la mentira. Innumerables obstáculos surgen entonces a su paso. La trama delicada del poema los traduce en menudos rasgos estilísticos, a los que vamos a dedicar nuestra atención.

Veíamos antes cómo la hoja de otoño descubre su alma, y es subida al cielo:

> El viento, su destino, ya la sube,
> alma, al cielo.

Ese amontonamiento de comas, una tras otra, ¿no nos sugiere, a la perfección, los obstáculos que la hoja tiene que vencer antes de revelarnos su alma? Nótese, además, que esta palabra ("alma") no aparece sino tarde y difícilmente, como después de haber sufrido una dolorosa alquimia.

El mismo procedimiento emplea Salinas en unos versos que también hemos citado hace poco:

> ¡Pero qué libre aquella tarde, fuera,
> prisionero, escapado!

Dice del asfalto de la calle. La frase, acribillada de comas, traduce el esfuerzo para escapar de la cotidianeidad, de lo prosaico —sin alma— que nos aprisiona, en busca de la verdad profunda. La palabra "prisionero" está allí, hundida, amurallada; mas la que le sigue: "escapado", en fin de frase, expresa la alegría de la liberación. Todos los obstáculos se han vencido.

Un ejemplo excelente de esta manera de hacer saliniana, lo tenemos en el poema *Valle* (SA., 19). Lo citamos entero:

En el paisaje tierno
—aquí, quedarse—,
el puente de hierro.

Cielo azul, verde tierra,
el puente ¡qué negro!

Sobre colinas muelles
voluntad en desmayo,

amor en vacaciones,
toda la vida en curvas.

Pero él marchar, seguir,
él, solo, puente, recto.

"Amor en vacaciones" se nos dice, porque lo propio del amor es el dinamismo, es el movimiento hacia la esencia, hacia la intimidad de un ser. Pero en medio de ese halago de los sentidos ("cielo azul, verde tierra"), en medio de las curvas en que el poeta se solaza, la recta del puente apunta a una realidad más profunda: "¡qué negro!". La *otra realidad* aparece, pues, al fin (con lo que el poema muestra su clara filiación saliniana): lo que ocurre es que no es el poeta —directamente, al menos—, sino un elemento de este paisaje —el puente—, el que porta el afán característico. Entre los obstáculos que amenazan la búsqueda del alma, obstáculos provenientes de lo escondida que esa alma está y de su resistencia a manifestarse, se sitúa uno nuevo. Son tan bellas las apariencias corporales, que ocultan el alma, que uno a veces siente tentaciones de quedarse en ellas, sin deseo de saber nada más.

Pero él marchar, seguir,
él, solo, puente, recto.

El puente avanza pese a todo. Los infinitivos, en lugar de las formas personales del verbo, comunican rapidez a la frase, que no se detiene en nada. El nexo gramatical que une el verbo al pronombre se debilita: los infinitivos tienen una autonomía de que las formas personales carecen. Lo mismo pasa con los adjetivos, que se independizan del sustantivo. No hay una subordinación: una continuidad de la frase que, como un río, morosamente se prolongue. La frase avanza como un torrente, impetuosa, saltando cuantos obstáculos encuentra a su paso.

De un modo más conceptual, el poeta ha expresado estas dificultades reinantes en el camino que conduce a las esencias. Tiene un pájaro en la mano, y lo suelta para que se vuele al cielo:

> (Había en medio una ronda
> de acechadores neblíes) (...)
> ¿Llegaría allí, a lo alto? [16].

LOS OBSTÁCULOS (II)

Habíamos observado, al hablar de la estrofa, cómo varios versos se encuadraban entre dos que se repetían; sugiriendo esta repetición el paralelismo de listones de un marco. El procedimiento servía allí para concretar lo infinito. Con una finalidad diversa, Salinas repetirá este procedimiento:

> Llevo los ojos abiertos.
> No te veo,
> estás dentro de la niebla.
>
> Niebla:
> con el mirar no la aclaro,
> con la mano no la empujo,
> con el querer no la mato.
> Niebla [17].

La repetición ("Niebla... Niebla"), y el triple desarrollo, rigurosamente lógico, de los versos que en ella se enmarcan, nos da la impresión de un bloque cerrado, aislante, que defiende a la critura en cuya alma queremos entrar.

---

[16] *Lo olvidado* (SA., 38).
[17] *Busca, encuentro* (SA., 41).

Se trata, pues, aquí también, de hacernos sentir la dificultad de llegar a esa alma o esencia de un ser; ésta está como acorazada, protegida por una muralla que, a primera vista, creeríamos inexpugnable. Otro poema (Pr., 26) muestra el mismo procedimiento:

> Yo no te había visto,
> amarillo limón escondido
> entre el follaje bruñido del limonero,
> yo no te había visto.

La repetición, más anómala aún que en el caso anterior (es una frase entera lo que se repite, no una palabra sola), presenta la situación como algo cerrado, concluso. Parece que no hay nada que hacer. Por eso, cuando un niño, poco después, descubra el "limón escondido" —análogo al alma escondida en un cuerpo exultante: "follaje bruñido"—, la sorpresa del descubrimiento será mayor. La victoria se acrece ante la dificultad de lograrla.

Otro recurso de que Salinas hace gala es el empleo del verbo al final de la oración. Se trata de una manera estilística relacionada con las que estamos viendo. En el poema *Madrid, calle de...* aparecía:

> Cimeras ramas, cielos, nubes, vuelos
> de extraviadas nubes, lo que nunca
> entró en su vida, *ve.*

> ...Él, inmóvil
> en el asfalto, liso estanque
> momentáneo, hondísimo,
> *abre.*

El verbo expresa el acontecer. Ese acontecer, en la poesía de Salinas, no es sino la revelación de un alma y su encuentro con otra; y es algo que, como vimos, se produce difícilmente. Es una conquista. De ahí que el verbo surja al final, como resultado de esa conquista que, *por fin,* tras tantos obstáculos se ha logrado. El verbo destaca

así como un grito (del alma), que se ha abierto camino por entre las
mallas que lo aprisionaban y no lo dejaban salir.

Esta ordenación sintáctica, que contraviene muy notoriamente la
normal en castellano[18], la repite Salinas con frecuencia. Citamos un
ejemplo más:

> Ciprés:
> largas sombras azules
> en un muro encalado
> veo.
> El ruiseñor cimero,
> cantarín del antojo,
> oigo.
> Por su masa secreta,
> índice vertical
> del paisaje seguro,
> sé[19].

El verbo (el acontecer) no sólo aparece aquí destacado en fin de
frase, sino también destacado en un solo verso.

Un procedimiento análogo al que comentamos, emplea Salinas en
Don de la materia (SA., 18), uno de los más bellos poemas de su obra
primeriza:

> Entre la tiniebla densa
> el mundo era negro: nada.
> Cuando de un brusco tirón
> —forma recta, curva forma—
> le saca a vivir la llama.

La llama descubre cuerpos escondidos que, de un modo preciso
—con claras referencias a la geometría—, se sitúan en el espacio. Ya
sabemos que hay siempre que partir de aquí: de los cuerpos, con sus

---

18 Dice Gili y Gaya: "en las oraciones formadas por tres [o más] elementos, el verbo no puede ir sin afectación más allá del segundo lugar" (*Curso
superior de sintaxis española*, 5.ª ed., Barcelona, 1955, p. 82).
19 *El árbol menos* (SA., 43).

límites. Pero no basta, ¿y el alma? Es necesario que la luz vuelva a apagarse y, en la oscuridad, el tacto —no los ojos— descubren la realidad profunda de aquella materia:

> ¿Están?
> Yo busco por donde estaban.
> Desbrozadora de sombras,
> tantea la mano. A oscuras
> vagas huellas sigue el ansia.
> De pronto, como una llama
> sube una alegría altísima
> de lo negro: luz del tacto.
> Llegó al mundo de lo cierto.
> Toca el cristal, frío, duro;
> toca la madera, áspera.
> ¡Están!
> La sorda vida perfecta
> sin color se me confirma,
> segura, sin luz, la siento:
> realidad profunda, masa.

La materia se niega y se afirma a la vez, en un proceso muy característicamente saliniano. Se niega, se niegan su forma y su color (previamente afirmados, por otra parte), para acceder a una segunda realidad, complemento de la primera. La realidad es *más* ahora de lo que era antes. Este proceso, difícil y oscuro, de aumento de la realidad, de acceso a su alma, se expresa dramáticamente por la doble aparición del verbo, primero en forma interrogativa ("¿Están?") y, luego, en forma afirmativa, admirativa ("¡Están!"). La sintaxis habitual del castellano no se ha contravenido aquí, pero el lector, desde el momento en que lee el primer "¿Están?", está esperando la respuesta, del mismo modo que antes esperaba el verbo (indispensable a la frase). El aspecto tensivo, dinámico, aparece, pues —por otro camino—, aquí también y se prolonga un rato hasta la distensión final del "¡Están!". Gozo de la revelación anhelantemente buscada.

El mismo sentido que el retraso del verbo tiene el retraso del sustantivo (aunque este último no altere tan violentamente la sintaxis del español). Nos referimos al caso en que el sustantivo viene precedido de uno o varios determinantes: orden que el español permite, pero que es mucho menos normal que el orden lineal o progresivo, formulado por Bally, donde el determinante sigue al determinado [20]. Un ejemplo de lo que decimos, lo tenemos en un poema comentado antes con otro propósito:

> Y la que vence es
> rosa, azul, sol, el alba:
> punta de acero, pluma
> contra lo blanco, en blanco,
> inicial, tú, palabra.

La lucha y la victoria de la "palabra" (y su correlato metafórico: el "alba") viene expresada, en lo que ahora nos interesa, por el retraso de estos sustantivos, que no surgen de inmediato, sino que se insinúan poco a poco; salvando, como si dijéramos, una cadena de obstáculos hasta su aparición final.

Muchos otros ejemplos podríamos citar aquí. Bástenos con uno más. La luz eléctrica de la bombilla (del poema *35 bujías*) no se revela —es decir, no revela su nombre— hasta el verso final: "artificial princesa, amada eléctrica". Nótese la expresiva sustitución de *luz* por *amada*. El ser descubre su alma —y arriba así al mundo del amor— sólo después de un arduo proceso. Las alusiones a esa luz, a esa alma, son, sin embargo, constantes, por medio de pronombres, desde el inicio del poema:

> Sí. Cuando quiera yo
> *la* soltaré. Está presa
> aquí arriba, invisible.
> Yo *la* veo en su claro

---

[20] V. Charles Bally, *Linguistique générale et Linguistique française*, 3.ª ed.. ⸱erna, 1950.

castillo de cristal, y *la* vigilan
—cien mil lanzas— los rayos
—cien mil rayos— del sol.

Se observará cómo también el sol, y sus rayos, están cercados (por guiones), lo mismo que la luz en su castillo. El nombre esperado se retrasa, y los que lo preceden se retrasan igualmente.

EL HACER FRENTE A LO HECHO (I)

Una explicación de estos procedimientos que venimos comentando nos la da también el mismo Salinas. En un poema *(Soledades de la obra*, SA., 28), dice:

"Voy a hacer". (¡Qué mío es
lo que voy a hacer!)
"Estoy haciendo". (¡Qué mío!)
"Ya está hecho. Míralo".
¡Cuidado!
El hacer, enajenar,
quedarse solo, de hacer.

Vemos claramente cómo lo más importante para el poeta es el proceso, el acontecer. Porque el acontecer pone en contacto dos seres, dos seres que se buscan; en este caso, el poeta y su obra ("¡Qué mío!": el posesivo tiene aquí una importancia decisiva, como expresión de ese contacto). Se advierte la conexión que esto guarda con el empleo del verbo y el sustantivo en fin de frase. Interés por el proceso, como en alemán, lengua fenoménica —según Bally—, que anticipa con gran frecuencia los determinantes y donde la colocación del verbo al final es la norma. El lugar intermedio: entre el estatismo del francés y el dinamismo del alemán, que el español aproximadamente ocupa, se desplaza aquí, como vemos, del lado de la lengua germánica. Aparte estos casos en que la sintaxis se violenta, el poeta, en su afán por destacar el *hacer*, utilizará también los recursos que su lengua le ofrece espontáneamente. Tenemos aquí una prueba de ello. Las perífrasis verbales, que aparecen en el poema que comentamos: "Voy a hacer", "Estoy haciendo" (en lugar de los tiempos simples: *haré*, *hago*), son una de las formas que el español tiene de expresar su interés por la acción, por el modo en que la acción se desarrolla. Salinas, naturalmente, recurre a ellas. Se destaca el *hacer*, frente a lo *hecho*. Lo hecho: el estado, el resultado, es algo que existe ya autónomamente, desvinculado, ensimismado podríamos decir, a diferencia del enajenamiento (salir de uno mismo) del *hacer*:

El hacer, (=) enajenar,
quedarse solo (ensimismado =), de hacer (lo hecho).

Es una ecuación matemática. El mundo de lo hecho (solo, autónomo) es ajeno al poeta. El pronombre ya no es *mío*, sino *suyo:*

Salta, vuela, ya no es tuyo.
Solo.
Solo sin lo mío hecho.
(...) Se va
detrás de otras ansias, *suyas,*
poblando los cielos, *suyos.*

Solos los dos. Claro que la soledad, tanto la del poeta como la de ese mundo, ajeno ahora a él, es punto de arranque para nuevos deseos de unión.

En *Escorial, I* (FyS., 20), el poeta expresa su desilusión ante un edificio que "está hecho":

De estar tan hecho
ya se le acabó el querer.

Y con el querer, diríamos, se le acabó la vida. Es lo desalmado del edificio —cuya alma asomará, sin embargo, en el poema *Jardín de los*

Frailes— lo que impresiona al poeta. *Está hecho:* "no le falta nada".
No tiembla, no vive. No entra en contacto con otra vida; carece de
drama. Su "hechura", por así decir, es la coraza que lo aísla y defiende.

Después de esto, no nos extrañará que, en el poema *Vocación*
(SA., 4), se rechaze un mundo perfecto (lo *perfecto* es etimológica-
mente lo *acabado*) por otro "incompleto, tembloroso":

> necesitado, llamándome
> a mí, o a ti, o a cualquiera
> que ponga lo que le falta,
> que le dé la perfección.

Otra vez es el contacto de dos seres lo que se proclama aquí. En
el mundo perfecto, en cambio, el poeta está de sobra, dedicado únicamente a mirar una belleza "que ya no le necesita". Actitud contem-
plativa a la que se opone otra proyectiva, afanosa: se opone a una
actitud pasiva otra activa.

La misma idea aparece en el poema *La concha* (SA., 34). La concha, bellísima, *perfecta,* no sirve, porque nadie entra en contacto profundo con ella:

> Pero su hermosura, inútil,
> nunca servirá. La cogen,
> la miran, la tiran ya.
> Desnuda, sola, bellísima,
> la venera, eco de mito,
> de carne virgen, de diosa,
> su perfección sin amante
> en la arena perpetúa.

Perfección sin amante: de eso se trata. Diríamos que perfección
y amor son términos inconciliables para Salinas. Porque lo que caracteriza al amor, al amante es el dinamismo, el no estarse nunca
quieto, en busca siempre de la esencia (la perfección) de un ser. El
mundo del amor es el mundo de lo imperfecto, que pide del amante

la perfección que le falta. Lo perfecto, al contrario, es lo acabado; no pide nada, no necesita nada : que lo contemplen únicamente. El amante allí no tiene nada que hacer.

LO PERFECTIVO Y LO IMPERFECTIVO

Antes, al hablar de los recursos fonéticos que Salinas manejaba, vimos acentuaciones extrañas que nos sacudían. Acentos agudos, vocales extremas que, aquí y allá, golpeaban nuestra atención. Ahora vamos a ver lo mismo con el adverbio de afirmación *sí*, que Salinas emplea repetidamente :

> *Sí.* Cuando quiera yo
> la soltaré [21].
>
> *Sí, sí,* dijo el niño, *sí* [22].
>
> las luces de tu alma, *sí*, las luces... [23].
>
> El niño blande su espada :
> "*¡Sí,* porque *sí,* porque *sí!*",
> toda afilada de quieros [24].

Estos *síes* deben verse también en conexión con el uso del verbo y sustantivo en fin de frase y con los obstáculos que el alma ha de vencer para revelarse. Grito del alma, el *sí* irrumpe, como el alma, bruscamente :

> Todo, *sí,* tu grito, *sí.*
> Pero tu voz no la quiero [25].

Irrumpe destacándose del ámbito que lo rodea, con lo que se patentiza, una vez más, lo anormal de la situación. Como si un punto

---

21 *35 bujías, SA.,* 27.
22 *Respuesta a la luz, FyS.,* 12.
23 *Amsterdam, FyS.,* 9.
24 *Placer, a las once, SA.,* 21.
25 *La difícil, SA.,* 20.

se señalara en la serie infinita e imperceptible de puntos que constituyen un desarrollo lineal. El mismo sentido tiene el adverbio *ya*:

> El viento, su destino, *ya* la sube,
> alma, al cielo [26].
>
> No te veo, *ya* te siento,
> *ya* te tengo. Mía [27].
>
> No saldrás nunca de aquí
> *ya* [28].

O expresiones adverbiales como las que a continuación subrayamos:

> *De pronto*, como una llama
> sube una alegría altísima
> de lo negro: luz del tacto [29].
>
> Primavera, qué acierto
> *por fin* [30].
>
> le organizó *bruscamente*
> con dos líneas verticales,
> con dos líneas horizontales [31].

Se habrá advertido que en alguno de los ejemplos citados, el adverbio resalta, exigiendo para él un solo verso. Nos interesa destacar
ahora el aspecto perfectivo del adverbio *ya* (y de los otros que, más
o menos, le son equivalentes). La acción se indica en su final, en su
perfección (empleando este término en su estricta acepción gramatical).
Perfección que rompe la continuidad, la monotonía del mundo. Recuérdese que la perfección que el poeta rechazaba era de otro tipo:
era también continua, dada de antemano: la perfección del *ser*, diríamos, no del *llegar a ser*. Esta distinción es importante, porque nos

---

26 *Tránsito*, SA., 12.
27 *Busca, encuentro*, SA., 41.
28 *Los adioses*, FyS., 29.
29 *Don de la materia*, SA., 18.
30 *París, abril, modelo*, FyS., 7.
31 *Cinematógrafo*, SA., 26.

muestra que Salinas no se mueve en un mundo de esencias (separadas de la existencia), sino de concretas realidades (existencias), cuya esencia hay que conquistar [32].

Igual valor perfectivo podríamos señalar en el adverbio *sí:*

> Los síes —¡qué golpetazos
> de querer en el silencio!—... [33].

Trátase, como se ve, de lo perfectivo (instantáneo) que interrumpe la línea continua del silencio. Lo mismo en los ejemplos antes mencionados.

Aspecto perfectivo adquiere también el verbo por el recurso de colocarlo al final de la oración:

---

[32] La misma observación hace José M.ª Valverde respecto a la poesía de Jorge Guillén: "la poesía de Guillén... es el grito de la llegada definitiva al mirador del Ser total, poniendo en limpio el mundo de una vez, clavado en el éxtasis desde ahora, o, mejor, como dicen los argentinos, "desde ya"; porque eso es lo fundamental en esta poesía, el "haber llegado a ser", no el mero "ser", difícilmente poetizable, así, a palo seco" (*Plenitud crítica de la poesía de Jorge Guillén*, en *Estudios sobre la palabra poética*, 2.ª ed., Madrid, 1958, pp. 167-68).

La diferencia entre Salinas y Guillén consiste en que, para éste, la perfección, aunque resultado de un "llegar a ser", no es algo ocasional, sino algo que siempre *está ahí* y sólo hace falta ver. Esto es así, porque, para Guillén, la esencia (o "más allá") de una cosa es la cosa misma:

> ¡Oh, perfección: dependo
> del total más allá,
> dependo de las cosas!
>
> (*Cántico*, 1950, p. 23)

Por eso, es un "más allá de veras / misterioso, realísimo" (p. 19). Por eso, el enigma que nos proponen las cosas es un "enigma cortés" (p. 20), es decir, fácil de resolver, que no es tal enigma, sino la cosa misma, en su "cosidad". Del mismo modo que el "más allá" es, en el fondo, un "más acá".

Para Salinas, en cambio, el "más allá" es algo distinto, aunque complementario, del "más acá" (de la cosa). *Está* en la cosa, pero no *es* la cosa. Los ojos que lo descubren son los del alma, no los del cuerpo, como en Guillén. no siempre —pocas veces, al contrario— se produce el descubrimiento.

[33] *Respuesta a la luz*, FyS., 12.

Ciprés:
largas sombras azules
en un muro encalado
veo.

El verbo "ver" es imperfectivo, y el tiempo en que aparece (presente) también. En una frase como "veo un ciprés", este aspecto imperfectivo sería evidente. Lo veo: lo estoy viendo. Pero, por su colocación en los versos citados, pasa extrañamente de imperfectivo a perfectivo. Sentimos la acción como algo acabado (como algo esperado, que acontece *por fin*), con existencia completa desde ahora (o mejor, "desde ya"). El presente se transforma así en un perfecto.

Terminaremos estas consideraciones sobre el aspecto con el estudio de una forma, tan rica desde este punto de vista, como es el gerundio. Como es sabido, éste tiene un fuerte carácter durativo, imperfectivo. Considera la acción en su transcurso, sin interesarse por los límites temporales. Se adecúa, pues, perfectamente a la misión que Salinas le encomienda: la de sugerir la abolición del tiempo. El transcurso, al no tener fin, se confunde con la eternidad. Nos referimos únicamente al caso, muy frecuente, en que el gerundio aparece en fin de verso (aislado, colgado), con lo que su aspecto durativo, por la pausa obligada en fin de verso, se refuerza aún:

Tú aquí, delante. *Mirándote*
yo. ¡Qué bodas
tuyas, mías, con lo exacto! [34].

Lo exacto es lo presente. El gerundio expresa el deseo de eternizar la contemplación. Como otras veces vimos, al borrarse el tiempo (es decir, los límites temporales), el "aquí" (los límites espaciales) se afirma rotundamente. El amante, versos después se dice, puede, de este modo, olvidar a la amada (el olvido es algo que está fuera del tiempo, a diferencia del recuerdo), porque la tiene al lado.

---

[34]   *Amada exacta*, SA., 33.

Ahora ya puedo olvidarte
porque estás aquí, a mi lado.

La amada está olvidada (alma) y presente a la vez (cuerpo). Lo que hemos llamado eternidad unamunesca (que no renuncia al cuerpo) hace, entonces, su aparición. Algo semejante ocurre en el poema *Moneda* (FyS., 16). El poeta tiene en la mano una moneda, que la niebla que hay alrededor no es capaz de borrar. Hay niebla,

> masas disueltas, precisos
> resultados abolidos,
> y todo se va a otro vago
> no sé qué sin dimensión.
> Te acaricio a ti, moneda.
> Anochecer de diciembre
> y tú aquí en mi mano, tú,
> contorno estricto, tú, dura
> existencia resistente,
> tu cuerpo de fina plata.

La niebla es aquí como el olvido antes; cumple una función análoga: la de difuminar (animar) ese cuerpo que, por otra parte, se afirma tenazmente: "tu cuerpo de fina plata". El pronombre *tú*, repetido dos veces (y con el suplemento del posesivo *tu*), no sólo insiste en la humanización de la moneda, sino que se clava en nosotros lectores como aquellos *síes* de antes. A su fonética —recordemos que la *u* es la menos frecuente de las vocales españolas— une la brevedad. Ya sabemos lo que esto quiere decir. La tensión vocálica traduce un interno dramatismo. Lucha del cuerpo por romper la uniformidad de la niebla, por no dejarse englutir en ella. La moneda sigue allí: "dura existencia resistente". No se renuncia al cuerpo, sin el cual no hay paraíso posible:

> Moneda
> con un número invencible

por la duda o por la niebla
y un rostro
que no dudará jamás
de reina antigua, *mirándome.*

Mirándome, añadiríamos, por los siglos de los siglos. Ese es el deseo. El gerundio, no ya fin de verso, sino fin de poema, queda resonando en nosotros. Ha barrido los límites del tiempo. Y no hay que pasar por alto ese "rostro de reina antigua" que nos saca también del tiempo en que vivimos, introduciéndonos en el tiempo de la historia.

Un ejemplo último: *Estación* (FyS., 18):

Pregonada ciudad, villa en el aire,
tú, nunca vista.
Tú, que me despertaste
de un sueño sobre ruedas
erigiendo
en las ondas del viento
tu ausencia con tres sílabas.
(Ella, la titular, la de tu nombre,
estaba arriba,
arropada en la noche con su audiencia,
su obispo y su casino.)

El tren en que viaja el poeta se ha detenido en una estación. Oye el nombre de la ciudad donde está. El *tú*, repetido (una vez como personal, otra como posesivo) tiene el mismo valor que antes vimos. El perfectivo instantáneo ("despertaste"), de modo análogo, irrumpe en el mundo cansado y monótono ("sueño sobre ruedas") del viajero. Quisiéramos que ese instante no acabara, durara siempre (sustituir la línea del tiempo por la línea de la eternidad), y el gerundio —destacado en un verso solo, suelto, flotando—, transmite tal deseo. La rima ("erigiendo" / "viento") acentúa aún tal duración. (La palabra "viento",

en fin de verso, es, por demás, bien expresiva; contribuye a ese intento de escape del mundo de la prosa).

El poeta llama a esa ciudad pregonada "mágica villa acústica", opo-
niéndola a la ciudad verdadera, la "titular", "con *su* audiencia, *su*
obispo y *su* casino", sus coordenadas rígidas que la delimitan y la
condenan a la vulgaridad y el prosaísmo. Se invierten, además, los
términos de la realidad. La ciudad mágica, oída, que es un "paréntesis
del sueño", queda vista flotando (como el gerundio), en un mundo
sin límites, en tanto que la ciudad real es la que sólo aparece en un
paréntesis: un simbólico paréntesis ortográfico.

EL CAMBIO. LA MENTIRA

El alma es siempre igual, una, pero el cuerpo varía: hoy presenta
una forma y mañana otra. El *deseo* es reconciliar el cuerpo con el
alma que no varía, y de esta manera abolir el tiempo: hoy igual a
mañana, a siempre. Lo cual quiere decir que el *temor* es al tiempo, al
cambio. Este temor, que invadirá plenamente los libros maduros del
poeta, se insinúa ya en los primerizos; es inseparable del deseo (aunque éste, y su realización a veces, sea lo que predominantemente se
cante). Se insinúa, sobre todo, en el libro inicial *Presagios*: de los tres
primeros, el más aquejado de temporalismo. (Ésta, y no otra, es la
razón por la que, machadescamente, lo prefiere el poeta Luis Cernuda) [35]. He aquí una muestra:

---

[35] Cernuda no habla de temporalismo, sino de "emoción" (*Estudios sobre
poesía española contemporánea,* Ed. Guadarrama, Madrid, 1957). Es lo mismo.
La famosa "palabra en el tiempo", que para Antonio Machado debía ser la
poesía, no es sino una defensa de la lírica afectiva. Recordemos estas líneas
suyas, que figuran en la *Antología* de Gerardo Diego: "Me siento, pues, algo
en desacuerdo con los poetas del día. Ellos propenden a una intemporaliza-
ción de la lírica, no sólo por el desuso de los artificios del ritmo, sino sobre
todo por el empleo de las imágenes en función más conceptual que emotiva"
Poesía española. Antología 1915-1931, Ed. Signo, Madrid, 1932, p. 77).
Los poetas de posguerra, que cultivan tal lírica emotiva, ven por ello en
Machado a su maestro.

> Arena: hoy dormida en la playa
> y mañana cobijada
> en los senos del mar:
> hoy del sol y mañana del agua.
>
> (Pr., 16)

Temor de la arena, tornadiza como una mujer. *Hoy, mañana,* indicadores de cambios en los seres, aparecen más de una vez en los poemas de *Presagios.* Es la emoción del tiempo, que señalamos. (Véanse, entre otros, los números 39, 45 y 49). El cambio constante —el constante alejamiento de la propia intimidad— impide el encuentro. Salinas ha simbolizado esta actitud en el elemento material más tornadizo que existe: la veleta (el mismo símbolo que utiliza el lenguaje corriente):

> La obediencia que esta noche
> me susurras al oído
> obediencia es de veleta. (...)
>
> No te quejes de mis vueltas
> y de no encontrarme nunca
> cara a cara:
> el huirte es obediencia.
> Y si mi alma no se está
> nunca quieta,
> no la llames volandera:
> fidelidad te he jurado
> —yo de hierro, tú de aire—
> de veleta.
>
> (Pr., 34)

La fidelidad lo es de veleta (es decir, lo contrario de una auténtica fidelidad), porque está sólo en las palabras de la mujer, no en su alma. El encuentro es, por tanto, imposible.

Esto nos lleva de la mano a un tema de Salinas, no mencionado aún: la mentira. Veámoslo primero en un poema donde el mundo de la técnica surge una vez más: *Far West* (SA., 15). Se trata aquí

del viento que sopla no en el mundo real, sino en la pantalla del cinematógrafo. Un viento de mentira, por consiguiente. El poeta, ansioso
de la verdad sobre todo, no puede entrar en contacto con él:

> Sí, lo veo.
> Y nada más que lo veo. (...)
> No es ya viento, es el retrato
> de un viento que se murió (...)
> Sí, le veo, sin sentirle.
> Está allí, en el mundo suyo,
> viento de cine, ese viento.

El cinematógrafo (objeto de la técnica) no revela aquí su alma,
sino que, contrariamente, es expresión de lo desalmado. Porque men-
tir es vivir distanciado del alma; o mejor, vivir sin alma: estar muerto. Por eso, el poeta ve el viento que allí sopla, pero sin sentirlo. Es
decir, lo ve sólo con los ojos del cuerpo, no con los del alma (que aquí
no tienen blanco en que ejercitarse). Ve *"ese* viento" (demostrativo
de despego, de lejanía), que "está *allí,* en el mundo *suyo".* El encuentro de dos seres en su intimidad ("libro *mío"*) no se produce. El
título en inglés, un idioma extranjero, subraya también la lejanía de
ese mundo respecto al nuestro.

El poema *La otra* (FyS., 3) narra un suicidio. Pero no se trata de
un suicidio real. La muerte aquí —que la mujer decide darse a sí
misma— es, igual que antes, el engaño.

> Pero no. Morirse quería ella.

La mujer rechaza los venenos, las pistolas, porque no es ésa la
muerte que desea. (Eso no es la muerte para Salinas.) Lo que desea es
ocultar su alma, su intimidad a todo el mundo. Esta muerte tiene la
ventaja —aparte lo que irrite al poeta— de que el cuerpo, pese a su
alejamiento del alma, no se descompone. Externamente es como si
nada hubiera pasado, nadie nota nada. La mujer sigue tan hermosa o
—¡ay!— más hermosa aún.

Se murió a las cuatro y media (...)

Nadie lo notó. Su traje
seguía lleno de ella...

Todos sabemos lo que es un traje lleno de una mujer. Sigamos:

Cumplió diecinueve años
en marzo siguiente: "Está
más hermosa cada día",
dijeron en ediciones
especiales los periódicos.
La heredera sombra cómplice,
prueba rosa, azul o negra,
en playas, nieves y alfombras,
los engaños prolongaba.

Colores múltiples. Enumeración caótica: "en playas, nieves y alfombras", que traduce el ir y venir —el cambio— incesante. La mentira. La pérdida de la inocencia la sitúa el poeta —no se le puede llamar
optimista— en los diecinueve años. (Claro que se trata de una mujer).

LA MUERTE. EL AMOR

Acabamos de ver la muerte que acaece por estar distanciado del
alma, por no acordar el cuerpo a ella (como si no existiera). Es lo que
pudiéramos llamar muerte del alma. Junto a ésta, como se adivinará,
hay una muerte del cuerpo, que no coincide tampoco con la muerte
real. La muerte del cuerpo es el olvido. Lo olvidado es alma sólo,
sin cuerpo, como veíamos en un poema; si bien allí el cuerpo aparecía,
porque la amada olvidada estaba, a la vez, presente: *Amada exacta.*
Pero el olvido, cuando lo olvidado no está extrañamente presente (algo que sólo se le puede ocurrir a Salinas) es la muerte. Así en este
poema:

Primero te olvidé en tu voz. (...)
Luego se me olvidó de ti tu paso. (...)
Te deshojaste aún más:
se te cayó tu carne, tu cuerpo.
Y me quedó tu nombre, siete letras, de ti (...)
Y decirlas tu solo cuerpo ya.
Se me olvidó tu nombre.
Las siete letras andan desatadas;
no se conocen.
Pasan anuncios en tranvías; letras
se encienden en colores a la noche (...)
Por allí andarás tú,
disuelta ya, deshecha e imposible.
Andarás tú, tu nombre, que eras tú,
ascendido
hasta unos cielos tontos,
en una gloria abstracta de alfabeto [36].

Hay, según esto, dos glorias: una gloria tonta, abstracta, la de los seres que no viven, y otra gloria verdadera, la que conquistan los enamorados, los vivos. Porque sólo está vivo quien ama; quien no ama (porque no tiene cuerpo o porque no tiene alma: o vive distanciado de ella, que es lo mismo) no vive, está muerto. La gloria abstracta es, pues, en realidad, la muerte. (*Muertes* es, efectivamente, el título del poema.) No pasa el tiempo, porque no hay vida. El *Escorial* (FyS., 20) "tres siglos tiene, tendrá veinte, ciento". En el poema *Jardín de los Frailes* (FyS., 22) es visto como un cadáver, sin alma, hasta que el agua se la revela:

Tu alma, tan insospechada,
suelta ya de su cadáver,
que seguía allí lo mismo
—monumento nacional—,
en su sitio, para siempre.
El agua te sacó el alma.

---

[36] *Muertes,* FyS., 11.

El agua te sacó el alma y te dio, de este modo, la vida (a ti que eras un cadáver, pues vivir distante del alma es lo mismo que estar muerto), te sacó de tu eternidad, tu "siempre". *Monumento nacional* es una de las etiquetas con que matamos la vida; uno de esos muchos rótulos que colgamos a algo o alguien, y con el que nos desentendemos y renunciamos a entrar en comunicación profunda.

En el poema *Tú, mía* (FyS., 23), la mujer, separada del poeta, ha de volver a él, al momento en que se vieron por última vez, a fin de encontrar la vida en el amor pasado. Ahora, sola, sin amor, es como si estuviera muerta:

> Quieta
> estás, clavada en el sitio
> donde te dejé de ver.
> No darás un paso más.
>
> Nunca cumplirás más años.
> Te pasarán por el cuerpo
> completos los almanaques (...)
>
> Vivir era ir hacia atrás.

Parece que estamos ante una nueva contradicción. Antes decíamos que el amor llevaba a cabo la abolición del tiempo: el tiempo de la vida que nos circunda. Ahora vemos que como la vida, lo que normalmente llamamos vida, no es sino la muerte, no hay tiempo en ella. El pasar incesante es, realmente, un quedar incesante, que se confunde con la eternidad (la eternidad de la muerte). Y aunque en algunos poemas predomina la consideración del tiempo como tal, con lo que parece que el anhelo es sustituir el tiempo por la eternidad, en otros vemos claramente que de lo que se trata es de sustituir la eternidad de la muerte (es decir, la vida que habitualmente vivimos) por la eternidad de la vida (la auténtica vida: el amor) [37].

---

[37] Esto explica otro significado del gerundio, no señalado antes. La idea de duración, que esta forma expresa, puede referirse no a la duración de la vida (el paraíso del amor), sino de la muerte: los cielos tontos:

> Nunca me iré de ti
> por el viento, en las velas,

Como recapitulación de cuanto llevamos dicho, comentaremos bre-
vemente el poema *Los despedidos* (SA., 46). Parte este poema de una
situación previa de encuentro de dos almas, que una tarde corta como
un cuchillo:

> el tiempo que ya era un siempre,
> partido: ayer, mañana (...)
> Secos rasgos, los vientos
> firman sentencias últimas
> de setiembre, destinos.
> Aquí el tuyo, allí el mío.

De nuevo dos seres, dos destinos, distanciados en el espacio ("Aquí
el tuyo, allí el mío") y en el tiempo, que deja de ser un *siempre*:
"partido: ayer, mañana". Existen el tiempo y el espacio, es decir, el
mundo, por oposición al paraíso que crea el amor. El mundo o la
muerte. Porque la vida (vivir plenamente) exige dos personas que la
vivan en comunidad. Vivir solo no es vivir. Del mismo modo, el alma
no surge sino al contacto con otra alma. Las almas serían así como mitades incompletas que se buscan, que buscan completarse.

> Adioses, sin adiós,
> ni pañuelo. El acero
> del otoño la vida
> nos parte en dos mitades.
> La vida
> toda entera, dorada,

> por el alma, *cantando*,
> ni por los trenes, no.
> (*Aquí*, FyS., 10)

La rima aguda (habíamos dicho en otra parte) intenta apresar una realidad
huidiza. Huidiza o duradera, añadimos ahora, puesto que la vida es muerte.
Los acentos son, entonces, como "golpetazos" (instantáneos, perfectivos) en la
línea imperfectiva o durativa de esa gloria abstracta: "por el alma, cantando".
Lo que se quiere es una eternidad corporal, no la eternidad (tiempo) de la
muerte (vida). Ni *alma* sólo, ni *trenes* (cuerpos): muertes las dos.

redonda, allí colgando
en la rama de agosto
donde tú la cogiste.

Adioses sin adiós, porque el "adiós" une, en vez de separar. Es una palabra —un puente— entre dos seres, juntos aún. Pero los "adioses" son ya algo plural: la unidad se ha roto. Vemos luego cómo "la vida" (realidad abstracta, el determinante es aquí genérico) se concreta, se posa en una rama (espacio) de agosto (tiempo), donde la amada la coge: como quien coge una fruta. Es el amor quien coge la vida, quien nos hace vivir. Pero para arribar al paraíso del amor hay que partir de datos concretos. Podría establecerse una ecuación: la (nuestra) vida = el amor = el paraíso.

LA VOZ A TI DEBIDA Y RAZÓN DE AMOR

PRESENTACIÓN DE LOS PERSONAJES

"Era fatal que la poesía de Pedro Salinas culminase en el tema amoroso", escribe Jorge Guillén [1]. Si se han leído las páginas que anteceden, podrá corroborarse, sin más, la justeza de tal aserto. *Era fatal.* El tema amoroso se refiere, claro es, al amor de la humana pareja. Los amores de los termómetros, del poeta y la bombilla (y otros así que vimos), no contarán ahora. *Él* y *ella* son el hombre y la mujer. Con exclusividad y de modo sostenido. Poesía íntegramente amorosa, en el tradicional sentido de la palabra (pues, en otro sentido, la poesía anterior también era amorosa). Son dos los libros que la brindan: *La voz a ti debida* y *Razón de amor* [2].

Vamos a entrar en estos libros por el poema inicial del primero de ellos. No nos parece casual que esté al frente de la colección. Se presentan en él los protagonistas de la historia: hombre y mujer, que decíamos antes. He aquí:

> Tú vives siempre en tus actos.
> Con la punta de tus dedos
> pulsas el mundo, le arrancas

---

[1] *Ob. cit.,* p. 12.
[2] Siglas: *La voz a ti debida* = Voz; *Razón de amor* = RA.

auroras, triunfos, colores,
alegrías; es tu música.
La vida es lo que tú tocas.

De tus ojos, sólo de ellos,
sale la luz que te guía
los pasos. Andas
por lo que ves. Nada más.
Y si una duda te hace
señas a diez mil kilómetros,
lo dejas todo, te arrojas
sobre proas, sobre alas,
estás ya allí; con los besos,
con los dientes la desgarras:
ya no es duda.
Tú nunca puedes dudar.

Porque has vuelto los misterios
del revés. Y tus enigmas,
lo que nunca entenderás,
son esas cosas tan claras:
la arena donde te tiendes,
la marcha de tu reló
v el tierno cuerpo rosado
que te encuentras en tu espejo
cada día al despertar
y es el tuyo. Los prodigios
que están descifrados ya.

Y nunca te equivocaste,
más que una vez, una noche
que te encaprichó una sombra
—la única que te ha gustado—.
Una sombra parecía.
Y la quisiste abrazar.
Y era yo.

                              (Voz, pp. 131-132)

Hay en estos versos varias cosas, que queremos hacer notar. Nos referiremos, en primer término, a un hecho ya comentado por nosotros. Léanse bien los primeros versos, y se observará cómo el acento de las palabras recae, con extraña frecuencia, sobre la vocal *u:* "Tú", "punta", "pulsas", "mundo", "triunfos", "música", "tú". No hay un solo verso, entre los seis primeros, donde la *u* no plante su seña. ¡Qué curioso! Porque la *u* (vocal de cerrazón extrema) es la más infrecuente de las vocales españolas. Ya lo habíamos dicho. Todo lector sensible a nuestra lengua, percibe, entonces, que aquí pasa algo, aunque no sepa qué es. Lo que es, bien lo sabemos nosotros. Acordémonos del poema *Cuartilla.* Una palabra rompía allí la blancura uniforme de una cuartilla (es decir, un cuerpo hacía su aparición):

> p*u*nta de acero, pl*u*ma
> contra lo blanco, en blanco,
> inicial, t*ú*, palabra.

La monotonía de la cuartilla (toda blanca) es ahora la monotonía del mundo —no aludida, pero siempre presente—, donde no pasa nada, o, si se quiere, donde siempre pasa lo mismo. ¡Qué mundo éste, donde, más que vivir, morimos! Sólo si el amor nos ilumina, viviremos (y vivirá el mundo). Es lo que va a ocurrir. La amada surge, hace su entrada triunfal. La amada o el amor. Y su surgir altera el mundo. Ese es el sentido de la alteración del vocalismo. La *u*, la vocal más rara, sorprende con su frecuencia: es que el amor —el raro amor— aparece. Tenía, claro, que haber una conmoción [3].

Y, junto a la amada, el amante. Una sombra. El sí que está, de lleno, inserto en ese mundo moribundo, apenas existente. Mundo sin amor. Porque el amante, antes del encuentro con la amada, está solo, sin amor. Pero la amada, cuando se la describe en este poema, ¿no está sola también? ¿Cómo, pues, no es una sombra, sino que, por el

---

[3] Nótese que aquí, como en otros ejemplos que veremos, la vocal extrema no precisa del contraste con la *a* como en el poema *Cuartilla.* Su rareza (relativa) la resalta ya suficientemente.

contrario, se afirma tan tenazmente? Se introduce aquí una diferencia importante. La amada, ya lo adelantamos, es equiparada al amor. Equiparación nada recusable. ¿No llamamos todos a la persona amada "amor mío"? Lo que es objeto de amor se confunde con el amor mismo, y ello sin necesidad de que lo amado ame también; simplemente por el hecho de *estar ahí*. Lo típico de Salinas es que llevará este hecho a sus últimas consecuencias. Si la amada es el amor, y el amor gobierna el mundo, la amada gobierna el mundo ("pulsas el mundo"). Del mismo modo se dice: "La vida es lo que tú tocas". En efecto: la vida es lo que toca el amor, pues sólo donde hay amor hay vida (algo que ya sabíamos). Éste es el contraste básico del poema: junto al ser rebosante —de vida, de mundo— de la amada, la sombra del poeta. Veamos más cosas aún.

La serie de los sentidos (tacto, oído, vista) se recorre en esos versos que describen a la amada: "pulsas", "música", "ves". Dos adjetivos hacen falta —que aluden a dos sentidos diferentes— para calificar su cuerpo: "*tierno* cuerpo *rosado*". Gozo de la plenitud, de lo que existe plenamente. (Y él, el amante, una sombra; es decir, algo que no existe del todo, que espera su ser del amor, de la amada.) Pero aún hay más. Un uso curioso del posesivo aparece en estos versos: "Con la punta de tus dedos", "que te encuentras en tu espejo" [4]. El español no emplea normalmente el posesivo en estos casos: emplea simplemente el artículo. Véase que en el segundo ejemplo, el dativo (*te*) sería más que suficiente para indicar la relación de pertenencia. Hay, sin embargo, una doble indicación de posesividad. Pero qué decimos, doble. ¡Triple!:

> ...y el tierno cuerpo rosado
> que te encuentras en tu espejo
> cada día al despertar,
> y es *el tuyo*.

---

4 Añádase aún, aunque normal gramaticalmente, el verso primero: "Tú vives siempre en *tus* actos", con doble indicación pronominal: personal y posesiva.

No cabe duda de que esta insistencia, este lujo posesivo, tiene por misión destacar a la amada. Pero en el último verso citado ("y es el tuyo"), advertimos también como una idea de exclusividad; es decir, de separación, de lejanía de la amada respecto del amante. "Y es el tuyo": no el *mío*, no el *nuestro*.

Esta nueva idea nos lleva de la mano a la segunda parte del poema: la que comienza el verso "Y nunca te equivocaste". La amada, tal como la veíamos, comparada al amor, a la vida, nos resultaba distante. Era la vida sí, era el amor, pero no era amante. Como si planeara por encima de nosotros, mortales. Sombras. Solitariamente, suficientemente. Como la vida, como el mundo, lo llenaba todo (reducía en un vuelo las distancias más grandes), aquí y allí dispersa, plural ("auroras, triunfos colores"), sin detenerse en nada. Y he aquí que ahora se inicia un movimiento de signo distinto. Esa mujer avasallante, cósmica, va a entrar por el cauce estrecho que le ofrece el poeta. *La* vida va a sumirse en *una* vida. La multiplicidad se reduce a unidad.

> Y nunca te equivocaste
> más que *una* vez, *una* noche
> que te encaprichó *una* sombra
> —la *única* que te ha gustado—.
> *Una* sombra parecía.

Unidad-pluralidad: segundo expresivo contraste. Obsérvese el consonantismo de estos versos. Sonidos sibilantes, sigilosos, nos introducen en el reino de las sombras. Compárese esto con el sonido áspero (*r, j*) de los versos anteriores:

> lo dejas todo, te arrojas...
> con los dientes la desgarras...
> y es el tuyo. Los prodigios...

Dos mundos: uno que estalla de color, de materia, nada enigmático; otro inquietador, misterioso. ¡Qué lujo allí, qué suavidad aquí!

Advirtamos, por último, que la frase, antes larga, de ancho vuelo,
tanto que excedía incluso la medida del verso ("auroras, triunfos, colores, / alegrías..."), como correspondiéndose con el despliegue triunfal de una amada rebosante, deja paso, ahora, a una frase breve:

> Una sombra parecía.
> Y la quisiste abrazar.
> Y era yo.

Tres versos, tres frases. Y la última (el último verso) rompe la
medida octosilábica de los anteriores. La sorpresa de que el yo sea
esa sombra, se acentúa así: el verso trisílabo es también una sorpresa.
Alude también con su cortedad, a la cortedad (timidez) de la aparición del amante —sombra al fin—, que contrasta con la de la amada.
Frente a la insistencia del *tú* repetido, la cortedad del *yo* solo. Ya
está. Ya están los dos personajes presentados. Comienza el poema de
amor [5].

LA AMADA COMO MUNDO

La amada o el amor. El amor o el mundo.

> Cuando tú me elegiste
> —el amor eligió—...
>
> (Voz, p. 197)

Tú = el amor.

> La noche es la gran duda
> del mundo y de tu amor.
>
> (Voz, p. 183)

---

[5] *Poema* es el subtítulo que Salinas da a su libro. La unidad de éste,
trabazón de las poesías que lo integran, queda así bien clara.

De tu amor: es decir, de ti. De quien dudar es como dudar del mundo, pues tú y el mundo sois lo mismo. Comparaciones análogas están presentes en el lenguaje diario (mi cielo, mi todo). No hace falta ser poeta para establecerlas. Pero el poeta, como dijimos, las lleva a sus últimas consecuencias. ¿La amada es el mundo? Luego los elementos del mundo se encontrarán en ella, como si fueran partes de su cuerpo:

> Empújame, lánzame
> desde ti, de tus mejillas,
> como de islas de coral...
> (Voz, p. 166)

Mejillas = islas. Comparación inesperada, y, sin embargo, natural, supuesta la identidad básica (amada = mundo). El poema se continúa con imágenes del mismo tipo. Va el amante en busca de "selvas vírgenes", y ve que no son sino "collares" de la amada. (Un puente lógico facilita la comparación. Los árboles de esas selvas eran "de metal y azabache"). Ve el amante "resplandores y destellos, a lo lejos", y descubre, acercándose, las "sonrisas anchas" y las "miradas claras" de la mujer. Estos son los versos finales:

> De ti salgo siempre, siempre
> tengo que volver a ti.

Todo está en la amada, porque la amada está en todo. Se advertirá la forma circular de esos versos. Componen una frase cuyos extremos ocupa el pronombre (de ti, a ti) —los extremos se tocan—, y cuyo centro el adverbio *siempre,* repetido. Este es, entonces, como un eje, en torno del cual se establece un movimiento continuo. Movimiento circular, como la amada. Amada cósmica.

Otro ejemplo:

> Y nadie me hizo señas
> —un jardín o tus labios,
> con árboles, con besos—...
> (Voz, p. 193)

La ecuación se establece aquí con todo pormenor: "labios" = "jardín", "besos" (de esos labios) = "árboles" (de ese jardín).

En fin, otro poema brinda esta identidad: "tus brazos, tus auroras" (Voz, p. 190).

La visión de la amada como mundo, un mundo aparte, produce también, como consecuencia natural, que la mujer se evada del tiempo y espacio: coordenadas del mundo que a todos los que vivimos en él nos atan. Pero no atan al mundo. Éste —y la amada por tanto— no se sujeta a un punto en el espacio o a un momento en el tiempo.

> ¡Qué cruce en tu muñeca
> del tiempo contra el tiempo! (...)
> A tu vida infinita,
> sin término, echan lazos
> pueriles los segundos.
>
> (Voz, p. 163)

Se refiere el poeta al reloj que aprisiona la muñeca de la amada. Ese medidor del tiempo no cuenta para ella. Ella es infinita, como el mundo, que se renueva incesantemente.

Análogamente, la amada, que no recibe órdenes temporales del mundo, no recibe tampoco otras órdenes: el frío o calor, por ejemplo, con que se nos obsequia de vez en cuando:

> Tómale el temple a tu cuerpo.
> ¿Frío, calor? Lo dirá
> tu sangre contra la nieve,
> de detrás de la ventana;
> lo dirá
> el color en tus mejillas.
>
> (Voz, p. 159)

La amada no se somete a leyes exteriores; es, por el contrario, ella quien —como el mundo— dicta leyes. Hace frío si ella está fría aunque afuera luzca un espléndido sol. Esta noción de *afuera* no tien ya mucho sentido; todo está dentro de la amada, todo *está* en la amada. ("De tus ojos, sólo de ellos, / sale la luz que te guía...", leíamos antes.) Véase, para terminar, esa repetición del "lo dirá" (el segundo exigiendo para él un solo verso), que parece subrayar la fuerza del decir de la amada: el poderío de la amada.

Comprendemos ahora el sentido de un poema muy hermoso, hacia el final de "La voz a ti debida". Lo reducimos aquí a sus versos esenciales:

> Tú no las puedes ver;
> yo, sí.
> Claras, redondas, tibias (...)
> ¿Astros?
>
> Tú
> no las puedes besar.
> Las beso yo por ti.
> Saben; tienen sabor
> a los zumos del mundo (...)
> ¿Son estrellas, son signos,
> son condenas o auroras? (...)
> (Si las llamara lágrimas,
> nadie me entendería).
>
> (Voz, pp. 195-196)

En efecto. Las interrogaciones: "¿Astros?" o "¿Son estrellas, son signos, / son condenas o auroras?", encajan perfectamente dentro del contexto cósmico de la amada. Preguntas hechas a escala cósmica. No pueden sorprendernos. Lo que sorprende, en cambio, y el poeta se da cuenta de ello, es que la amada vierta *lágrimas,* como un ser humano cualquiera. Lágrimas, además. Si la amada participaba de algo humano, era, precisamente, de la alegría ("alegrías; es tu música"). Parecía incapaz de llorar, de entristecerse.

Y, sin embargo, esta amada humana, ¡qué atractivo tiene! Porque sólo los humanos, en un sentido profundo, aman. La amada cósmica, autosuficiente, fuera del tiempo y el espacio, por encima de los cuales planea, no llega a hacerse humana y, como tal, capaz de amor.

¿Amar tú? ¿Tú, belleza
que vives por encima,
como estrella o abril,
del gran sino de amar (...)?
¿Me sonríe a mí el sol,
o la noche o la ola?
¿Rueda para mí el mundo (...)?
No sonríen, no ruedan
para mí, para otros.
Bellezas suficientes,
reclusas, nada quieren,
en su altura, implacables.

(Voz, p. 186)

Bellezas suficientes. La ausencia de artículo confiere a la impreca-
ción su gran fuerza. Véase lo que dice Amado Alonso: "la gran fuerza afectiva de este giro procede de su pretensión de objetividad...
Con ello el caso particular... queda absorbido en lo general, inscrito
en un tipo creado intencionalmente y a la medida... Hay aquí... un
énfasis, un alza de la emoción" [6]. A esto, añádase la triple adjetivación
("suficientes... reclusas... implacables"), y, finalmente, el ritmo de los
versos, casi todos divididos por una fuerte pausa medial. Es un ritmo
lento, acompasado, de gran empaque. Leamos los versos que siguen:

Florecer, deshojarse,
olas, hierbas, mañanas:
pastos para corderos,
juegos de niños y
silencios absolutos.

Los infinitivos (formas impersonales) se ajustan bien a este plano
de lo general, en que nos movemos. Lo que se expone es un suceder
natural, implacable, casi mecánico. Vida, muerte. "Olas, hierbas, mañanas": mar, tierra y cielo —el mundo todo— repitiendo, sin des-

---

[6] A. Alonso, *Estudios lingüísticos*, pp. 177-178.

canso, su exhibición de muestras. Y eso es nuestro sustento diario: "pastos para corderos". *Corderos* alude a lo gregario de la vida (sin amor). Los hombres son como corderos; todos iguales, anónimos. "Juegos de niños", porque ¿la vida toda no es, si no hay amor, un juego de niños? Niños los hombres que no aman. La palabra *juegos,* por su parte, se opone a la seriedad del amor, del vivir auténtico. "Silencios absolutos" no son los silencios que el amor crea, donde todo tiene cabida, sino los silencios de la nada: los cielos vacuos. Y el poema termina con estos versos extraordinarios:

> Mas para nadie amor.
> Nosotros, sí, nosotros,
> amando, los amantes.

Nosotros, los amantes. Otra vez la pretensión de generalidad, que da al poema toda su grandeza. Compárese la fuerza expresiva del gerundio *amando* (acción en curso) —ampliada aún por el participio presente sustantivado, *los amantes:* dos formas éstas, gerundio y participio presente, que en algunas lenguas se confunden—, compárese, digo, con la del infinitivo: "Florecer, deshojarse". Si el infinitivo fija la acción, como un alfiler a una mariposa (el infinitivo es, con el participio pasado, la forma verbal más estática), el gerundio, en cambio, nos hace sentir el transcurso de la acción. Este contraste entre lo estático (antivital) y lo dinámico (vital) del amor se exponía ya unos versos antes:

> Se *dejan amar,* sí,
> pero nunca responden
> *queriendo.*

Debe relacionarse, además, lo que decimos con la mención esencial —no existencial— llevada a cabo por el sustantivo sin artículo ("bellezas suficientes"), así como con la aparición impersonal del infinitivo, por un lado; frente a, por otro lado, el personalismo insistente *"nosotros, sí, nosotros"*), con que se nos muestra aquí el gerundio. Lo

impersonal y lo personal [7], lo esencial y lo existencial son, en este poema, modos de expresarse la oposición que lo estructura: muerte (no
amor); vida (amor).

Pero una contradicción nos sale ahora al paso. En otro poema de
Salinas, leemos estos versos:

> No, no te quieren, no.
> Tú sí que estás queriendo.
>
> No sirves para amada;
> tú siempre ganarás,
> queriendo, al que te quiera.
> Amante, amada no.
>
> (Voz, p. 168)

¿Cómo se explica esto? Muy sencillo. La amada es un mundo,
todo un mundo, y cuanto en él existe es *ella* en realidad. Si los seres
de ese mundo la quieren, no se trata, por tanto, sino de la amada
queriéndose a sí misma:

> Y lo que yo te dé,
> rendido, aquí, adorándote,
> tú misma te lo das:
> es tu amor implacable,
> sin pareja posible,
> que regresa a sí mismo
> a través de este cuerpo
> mío...

---

[7] Repárese también en la elisión del pronombre personal que hay en estos
versos:

> No sonríen, no ruedan
> para mí, para otros (...)
> Indiferentemente
> salen, se pintan, huyen (...)
> Se dejan amar, sí...

Amada circular. Pero una precisión es aquí decisiva. La amada (para amar) no se basta a sí misma, necesita un cuerpo —una persona— intermedia. Sólo así se produce ese fenómeno de que

> ...un día entre todos
> llegaste
> a tu amor por mi amor.

Quizá se entendieran mejor estos poemas teniendo en cuenta, como decíamos al principio, que la amada se identifica con el amor, que la amada es símbolo del amor. (Si la amada es un mundo, lo es en cuanto símbolo del amor, en cuanto que el amor es todo un mundo). Pero el amor no ama, quien ama son las personas ("nosotros, sí, nosotros"): necesita, pues, tomar cuerpo en ellas. Ahora bien, a diferencia de las personas —efímeras—, el amor es inagotable. Es la materia inagotable que informan nuestros amores efímeros. En este sentido es —y lo mismo la amada que lo simboliza— el que vence siempre, el que sobrevive a la extinción de todos los humanos amores, que de él se nutren (o que lo nutren).

EL TEMOR. EL CAMBIO

La amada, símbolo del amor y del mundo que él es, no se sujeta, dijimos, a un punto en el tiempo y en el espacio. Ese punto en tiempo y espacio somos nosotros: los amantes. Nosotros, que quisiéramos sujetar al amor (es decir, a la amada que lo simboliza, y, a la vez, lo encarna). Tenerlo, tener por siempre al amor. Pero éste pasa. Mejor dicho, somos nosotros quienes pasamos. El amor permanece; sólo que hoy se sacia en unas vidas y mañana en otras. De ahí el miedo.

> Miedo. De ti. Quererte
> es el más alto riesgo.
> Múltiples, tú y tu vida.
> Te tengo, a la de hoy;

ya la conozco, entro
por laberintos, fáciles
gracias a ti, a tu mano.
Y míos ahora, sí.

(Voz, p. 136)

El poeta emplea aquí un lenguaje telegráfico ("Miedo. De ti. Que-
rerte...") ; el valor del infinitivo, en este verso, es el de anotación in-
mediata. Es el miedo —la afectividad— el que impide construir una
frase normal, seguida. No hay calma para ello. Pero el ritmo entrecortado invade no sólo el primer verso (caso el más extremoso), sino
también los que siguen :

Múltiples, / tú y tu vida.
Te tengo, / a la de hoy;
ya la conozco, / entro
por laberintos, / fáciles
gracias a ti, / a tu mano.
Y míos ahora, / sí.

Hay un desequilibrio total entre metro y sintaxis. La frase, que
la emoción domina, no se aquieta en el cauce del verso; lo rebasa,
para interrumpirse luego a mitad : "entro / por laberintos, fáciles /
gracias a ti, a tu mano" [8]. La expresión se ve constantemente inte-
rrumpida por el afecto que domina al poeta (por el miedo a perder lo
que tiene), quien se cuida, por eso, de aferrarse a lo alcanzado :

ya la conozco...
Y míos ahora, *sí*.

Con el valor perfectivo (de logro), ya estudiado, que los adverbio
subrayados poseen. No basta, sin embargo :

---

[8] Precisamente, el encabalgamiento es aquí del tipo llamado *abrupto* o *en*
trecortado por Dámaso Alonso (V. *Poesía española*, pp. 71-72).

> Pero tú eres
> tu propio más allá,
> como la luz y el mundo:
> días, noches, estíos,
> inviernos sucediéndose.

La amada es su "propio más allá": su amor (que es un mundo aparte). Su presencia se destaca por una acentuación en *u* (*tú, luz, mundo*), como en el poema inicial citado. Es decir, se destaca el prodigio que supone la aparición de la amada: la amada prodigiosa. El procedimiento se trasmite a los versos que siguen:

> Di, ¿podré yo vivir
> en esos otros climas,
> o fut*u*ros, o l*u*ces
> que estás elaborando,
> como su z*u*mo el fr*u*to,
> para mañana t*u*yo?

Diríase que hay como una prolongación de la *ú* del *tú* a otras palabras; como si en esas palabras (o en las realidades nombradas por ellas) ese *tú* estuviese presente. Presente, además, de un modo estentóreo. Hay algo de pasmo o de grito. Y llegamos al fin del poema:

> ¿O seré sólo algo
> que nació para un día
> tuyo (mi día eterno),
> para una primavera
> (en mí florida siempre),
> sin poder vivir ya
> cuando lleguen
> sucesivas en ti,
> inevitablemente,
> las fuerzas y los vientos
> nuevos, las otras lumbres,
> que esperan ya el momento
> de ser, en ti, tu vida?

Ha ocurrido un cambio interesantísimo en la contextura de la frase, que, si al principio, como señalamos, era balbuciente, cortada, acaba
haciéndose larga, de un desarrollo muy superior al normal. De la extrema brevedad, en que las palabras se pronuncian aisladas, o poco
menos (no hay calma para organizarlas en una frase), se pasa a una
oración complicada, que parece no tener fin. El cambio se señala a
medida que el poeta se olvida de sí mismo —de su miedo—, para
referirse a la amada: la fabulosa amada que, como el mundo, consiste en "días, noches, estíos, inviernos sucediéndose". Sucediéndose
sin parar. Por eso la frase, la última muy especialmente, parece no pa-
rarse tampoco, y arrollar en su curso al amante, tal como el mundo
—la amada— teme que lo arrolle también. Teme no ser más que un
momento fugaz. La frase se precipita en su segunda mitad, a partir del
verso "cuando lleguen", cuatrisílabo, que rompe la medida uniforme
del heptasílabo en que está construido el poema. Este verso (más
breve) señala el comienzo de una aceleración. El adverbio en *-mente*
("inevitablemente"), con sus cinco sílabas iniciales inacentuadas, produce una sensación de derrumbe, de algo que se precipita [9]. Es ine-
vitable comparar estos versos con otros —también finales— de otro
poema, donde la aparición de la amada se expresa del mismo modo:
frase larga, invasora, cuyo curso conlleva también un adverbio en

---

9   Los adverbios en *-mente* son muy usados en la poesía de Neruda, con
este mismo sentido, que se corresponde con su visión de un mundo en destrucción constante (V. A. Alonso, *Ob. cit.*). En Salinas el procedimiento, sin
embargo, no guarda relación directa con su intuición central del mundo, y sólo
muy accesoriamente puede ser referido a ella.
    Un efecto análogo es el conseguido aquí:

> Se me precipitaban
> encima las promesas...
>   (Voz, p. 138)

El verso "Se me precipitaban" posee un acento único (el obligatorio en
sexta sílaba). Se precipita efectivamente de tal modo, falto de apoyo acentual. Nos recuerda el verso de Góngora: *Esa montaña, que precipitante...*
objeto de un comentario magistral por Dámaso Alonso (en *Poesía española*
pp. 90-99). (Por otra parte, no son éste, y el de los adverbios en *-mente*, lo
únicos casos de depresión acentual. Ya tendremos ocasión de ver más.)

-mente (se advertirá, además, que aquí como allí el adverbio reclama para él un verso entero):

> Porque cuando ella venga
> desatada, implacable,
> para llegar a mí,
> murallas, nombres, tiempos,
> se quebrarían todos,
> deshechos, traspasados
> *irresistiblemente*
> por el gran vendaval
> de su amor, ya presencia.

(Voz, p. 133)

En ambos poemas, lo que queda resonando al final es su "amor" o su "vida", como una bandera que ondease victoriosa en medio de un montón de escombros: un montón de escombros entre los cuales, en el poema del miedo, teme quedar sepultado el amante [10]. Volviendo a este poema, motivo inicial de nuestro comentario, apreciamos que la primera parte de la larga frase final es más lenta, pues el amante se introduce en ella, con su miedo y su deseo de aferrarse a lo que tiene. La intromisión viene reflejada en los paréntesis:

---

[10] Estos versos, que accidentalmente hemos citado, ofrecen aún cosas interesantes. Por ejemplo, ese condicional "se quebrarían", en lugar de un futuro, que sería lo correcto. Pero se trata de la venida posible (posible sólo) de la amada, y el condicional confiere a la frase un grado de irrealidad mayor que el futuro. Si se observa detenidamente este poema (no lo transcribimos para no desviarnos demasiado), se advertirá algo insólito: que no hay en él ningún verbo principal en indicativo —el modo de la realidad—. Todas las veces que aparece el subjuntivo, o hay una subordinación puramente mental, no explícita, o bien el verbo subordinante está en imperativo (modo que, como se sabe, no es sino una intensificación del subjuntivo optativo). También podrá advertirse, en los versos citados, cómo el sustantivo esperado (el amor: el "gran vendaval de su amor") se retrasa, y aparece sólo en el último verso. Para ello ha habido que hacer uso de la pasiva refleja: modo, a la vez, de destacar el sujeto agente y los obstáculos que ha tenido que vencer para imponerse al fin.

¿O seré sólo algo
que nació para un día
tuyo (mi día eterno),
para una primavera
(en mí florida siempre)...

Estos paréntesis, desde un punto de vista gramatical, no son sino
repeticiones, insistencias, que, como tales, comunican lentitud a la
frase. Deseo de detener la carrera vertiginosa de la amada. Pero no
hay quien pueda detenerla, y por eso —el amante olvidado—, la
frase avanza irresistible hasta su término triunfal.

Temor, hondo temor, que acompaña por doquier la poesía de Salinas. Inseparable compañero de su búsqueda del alma, del amor, no
nos deja descansar demorándonos en la contemplación de la gloria
obtenida. Hay que luchar siempre por retenerla, porque no se nos
escape. El tiempo, introductor de cambios en los seres, es el gran
enemigo. Tiempo, cambio: eso es la causa del temor [11].

LA ESPERA DEL AMOR

La amada es símbolo del amor, sí; pero es también la criatura
que ofrece a ese amor su cuerpo. Este desdoblamiento de un ser es
típicamente saliniano; es él quien confiere a su poesía sabor tan fuertemente dramático. Lo que se quiere es acordar a esa mujer con el

---

[11] Dámaso Alonso ha señalado, oportunamente, este carácter dual de la
poesía de Salinas: "Ni deja de recordar este poema de Salinas la 'escala' de
los libros de mística. No sólo ascensional como allí, sino con dos vertientes;
la que viene de la nada en donde estaba en potencia el amante antes del amor
(la nada o el amor; la poesía o la nada), que lleva a la gloria de la unión, y la,
en este caso mucho más larga, que cae desde esa altura a la desolación frente
a las sombras. Este 'crescendo' y este 'diminuendo' son pues, a mi entender,
elementos esenciales de la estructura poemática del libro de Salinas, son su
línea musical, superpuesta, claro está, al tema e inseparablemente unida a éste"
("Sobre *La voz a ti debida*", en *Diablo mundo*, n. 6. Madrid, 2 junio 1934,
página 3).

amor o al amor con esa mujer. Eso sería amar, para ella. Integrar el amor (abstracto) con el ser concreto; hacerse carne del amor. Pero como el amor es ella también (no algo fuera de ella), se ve claro que la tensión se establece en el interior del propio ser, sin salirse de él. Tensión del cuerpo y el alma: tema esencial de la poesía de Salinas. Se busca el amor, pero *en* la amada, no fuera de ella (pura abstracción); se busca el amor de la amada.

> Y esta paz de ser entero,
> no sabe
> el alma quien la ganó:
> si es que tu amor se parece
> a ti, de tanto quererte,
> o es que tú,
> de tanto estarle queriendo,
> eres ya igual que tu amor.
>
> (RA., pp. 230-231)

¡Pero qué raro este acuerdo! ¡Qué raro el amor! Salinas ha cantado su espera impaciente en los poemas iniciales de "La voz a ti debida":

> ¡Si me llamaras, sí,
> si me llamaras!
>
> Lo dejaría todo,
> todo lo tiraría:
> los precios, los catálogos,
> el azul del océano en los mapas,
> los días y sus noches,
> los telegramas viejos
> y un amor.
> Tú, que no eres mi amor,
> ¡si me llamaras!
>
> (Voz, p. 134)

He aquí establecida, en estos versos, la diferencia entre el mundo
rutinario de la prosa y el mundo del amor. Los "precios", los "catá-
logos" nos sitúan, de lleno, en ese mundo rutinario : mundo donde las
cosas se reducen a una etiqueta —un número—, que las uniformiza,
que las desalma. Lo mismo el "azul del océano en los mapas" (en los
mapas, que son copias del mundo, no en el mundo real). Vagamos
entre ficciones, imágenes, lejos del verdadero rostro de los seres. Los
"telegramas", en la poesía de Salinas, suelen tener —ya lo veremos—
significación positiva, como aniquiladores que son de distancias (en la
misma línea de valoración que el *teléfono*). Pero aquí esos telegramas
son *viejos*: pertenecen al pasado, y el pasado —lo veremos también— carece de valor para el poeta. Lo que éste quiere son realidades absolutamente presentes. Más difíciles de interpretar son los
versos "los días y sus noches" y "un amor" : términos en apariencia
valiosos. Pero, si bien se mira, ambos nos sitúan en la misma esfera de
lo cotidiano (sin alma). *Los días y sus noches* alude a un ritmo incesante, la noche sucediendo al día y éste a la noche, de un modo
fatal, mecánico casi. (Compárese con el *Florecer, deshojarse,* citado
hace poco). *Un amor,* por su parte, no es *el* amor : el verdadero amor,
que el poeta busca. *Un* amor hace pensar en una pluralidad, de la
cual él es un representante (un amor de los amores); se lo desvalo-
riza, de tal modo. El amor ha de ser único en su género (ya vimos
que la amada se identificaba con él). *Un amor* no nos saca de la cotidianeidad, de la pluralidad de la vida. No estamos, pues, conformes
con estas palabras de Leo Spitzer : "Por su promiscuidad con los objetos más vulgares de la civilización material de hoy (*precios, catálo-
gos, mapas, telegramas*), quedan implícitamente despreciadas cosas tan
preciosas como *los días y sus noches* o *un amor*" [12]. Esto no es del
todo exacto. Más que de la promiscuidad de que habla Spitzer, la
desvalorización proviene de la presentación gramatical de los citados
términos : "*un* amor" (no "*el* amor"), "los días y *sus* noches" (es de-

----

[12] *La enumeración caótica en la poesía moderna,* en *Lingüística e historia
literaria,* Ed. Gredos, Madrid, 1955, p. 340.

cir, sus correspondientes —fatales— noches): no "los días", por un lado, y "las noches" por otro.

> Y aún espero tu voz:
> telescopios abajo,
> desde la estrella,
> por espejos, por túneles,
> por los años bisiestos
> puede venir. No sé por dónde.
> Desde el prodigio, siempre.

Telescopios abajo, desde la estrella, por los años bisiestos, se refieren a esa rareza del amor: de su revelación. No está el amor aquí, repetimos, en lo cotidiano, sino lejos —prodigio siempre—, muy lejos. *En la estrella.* Un *telescopio abajo* (es decir, invertido), por su parte, es algo que aleja las cosas, en vez de acercarlas. Y los *años bisiestos* son años raros, infrecuentes. En lo que hace a *túneles,* conocemos ya la significación de lo negro, lo oscuro, como propicio a la revelación, y lo mismo sabemos del espejo.

> Porque si tú me llamas
> —¡si me llamaras, sí, si me llamaras!—
> será desde un milagro,
> incógnito, sin verlo.

> Nunca desde los labios que te beso,
> nunca
> desde la voz que dice: "No te vayas".

O sea: nunca desde lo cotidiano, desde el cuerpo sólo (labios, pabras). Y véase cómo la repetición, en un solo verso, de los dos iniales:

> —¡si me llamaras, sí, si me llamaras!—,

troduce un cambio de tono en el poema. Del ferviente deseo, que se presa entrecortado, con énfasis especial en el *sí* interjectivo, resalta r de la volición:

> ¡Si me llamaras, sí,
> si me llamaras!,

se pasa a un estado en que esa llamada parece más probable: la imaginación del poeta, al menos, le confiere una casi-existencia. Entonces hay un explayarse del alma en esa dulce realidad —dulce llamada— imaginada. Los guiones que encierran la frase la separan también del resto; hay como una pausa, en que el poeta se complace. En fin, la rima (a-a) de este verso con el último refuerza esa sensación de mecerse complacido, muy distinta del fervor apresurado de los dos cabeceros.

LOS "OTROS" Y "NOSOTROS"

Hay que abolir lo cotidiano. Sólo así podrá encontrarse a la amada. Fuera de todas las costumbres sociales, y, muy especialmente, de los hombres que las crean. Si la amada, en cuanto amor, es un mundo, todo un mundo, en cuanto mujer está rodeada de seres sociales, un ser social más ella también. Se trata de sacarla de este mundo, para hacerla arribar, y nosotros con ella, al mundo del amor (que ella misma esconde dentro). Mundo de dos. Los amantes no necesitan nada ni nadie para amarse: para vivir.

> Sí, por detrás de las gentes
> te busco.
>
> (Voz, p. 134)

Las "gentes" son los *otros*, la sociedad. La pluralidad máxima, tras de la que se oculta la amada. Esa pluralidad se adelgaza cada vez más; continúa aún en los versos siguientes:

> No en tu nombre, si lo dicen,
> no en tu imagen, si la pintan.

Es decir, si ellos (las gentes) lo dicen, lo pintan. Las "gentes" aparecen aún, pero aludidas tácitamente. *Nombres, imágenes,* son productos que ellas crean: productos sociales (que ocultan el verdadero ser). Un paso más supone el verso que sigue:

> Por detrás de ti te busco.

Detrás de ti, no ya *detrás de las gentes.* De ti, además, no de tus copias: nombre, imagen. ¿Y dónde es "detrás de ti"?

> No en tu espejo, no en tu letra,
> ni en tu alma.
> Detrás, más allá.

Hay una gradación de lo más material a lo menos material: un adelgazamiento dentro del *tú* de la amada (y no ya de lo plural a lo singular). El cerco se ha reducido al máximo, sin que por eso demos con lo que buscamos. En la estrofa siguiente, el poeta empieza a buscar ese "tú" que está "detrás de ti", "detrás de sí". Nótese la complicación.

> También detrás, más atrás
> de mí te busco. No eres
> lo que yo siento de ti.
> No eres
> lo que me está palpitando
> con sangre mía en las venas,
> sin ser yo.
> Detrás, más allá te busco.

No se produce el encuentro. La amada no es lo que él siente de ella ni lo que le palpita en las venas. (No se identifica con él; no es un "fenómeno de conciencia" suyo, como quiere Leo Spitzer)[13]. Hay, además, aquí, una insistencia muy curiosa: ese "sangre mía". El poeta

---

13 Nos referimos a un extenso estudio del gran romanista: *El conceptismo interior de Pedro Salinas,* en *ob. cit.,* p. 235. Más adelante nos detendremos, para criticarla, en esta opinión de Spitzer.

subraya, con la doble indicación pronominal (*me, mía*), que la sangre
es suya : solitariamente suya. (Nos acordamos de aquel "que te encuentras en tu espejo / ...y es el *tuyo*"). Es decir, él (la sangre, que
por él corre, no es más que un símbolo : la parte por el todo) es *suyo*
sólo. No hay confusión : fusión conjunta de dos seres. Pero una añadidura viene luego : "sin ser yo". La sangre *suya* —más exactamente, él— no es él tampoco. Como si dijéramos : *tú* no estás en *mí*, pero
tampoco *yo* lo estoy. Al "detrás, más allá te busco", que viene a
continuación, debe añadirse, pues, un "detrás, más allá *me* busco".

La estrofa última aportará la solución del enredo :

> Por encontrarte, dejar
> de vivir en ti, y en mí,
> y en los otros.
> Vivir ya detrás de todo,
> al otro lado de todo
> —por encontrarte—,
> como si fuese morir.

El infinitivo, que aparece aquí sin sujeto, es la forma ideal para
eludir el *tú* y *yo* solitarios, insuficientes (ni siquiera ellos mismos), per-
mitiendo la creación de un sujeto dual, donde *tú* y *yo* sean ellos —tú
y yo— verdaderamente. En efecto, hay, aunque implícitamente, un
doble sujeto :

> Por encontrarte, dejar (tú y yo)
> de vivir (tú) en ti y (yo) en mí,
> y en los otros.

Dejar de vivir en los "otros" (el mundo diario), e incluso en nosotros (solos, cada uno por su parte), para vivir en nosotros dos. En el
mundo del amor. Eso es el "vivir detrás de todo", que se correspond
al "morir". Morir : salirse, como en el amor, de los límites espaci
temporales. El "por encontrarte", repetido entre guiones, es la barre
ra, ya vista ("el mañana, la llave / —mañana— de lo eterno"), qu
separa los dos mundos.

Otro poema:

>   Ahí, detrás de la risa,
>   ya no se te conoce.
>   Vas y vienes, resbalas
>   por un mundo de valses
>   helados, cuesta abajo...
>
>   (Voz, p. 142)

La amada —mujer— no se está quieta; es un ser cambiante (como todos los seres del mundo). A ese no estarse quieta, alude la palabra "valses": vueltas incesantes, frenesí del movimiento. "Helados" sugiere la facilidad con que la mujer se desliza, como por una pista de hielo, sin encontrar resistencia. Cuesta abajo, además. Pero, ¿no se referirá también "helados" a la frialdad, la gelidez de ese mundo (sin amor), en que la amada se mueve?

>   "¡Qué alegre!", dicen todos.
>   Y es que entonces estás
>   queriendo ser tu otra,
>   pareciéndote tanto
>   a ti misma, que tengo
>   miedo a perderte, así.

Otra vez establecida la dualidad de la amada. Ella no es ésa: la que va y viene, incluida en un ámbito social —ese ámbito de las gentes que la llaman "alegre"—. Esa es la "otra". Ella, verdaderamente, sólo es —sólo puede ser— la que ama. Pero se parecen tanto las dos (claro, como que son la misma persona), que el poeta tiene *miedo* a perderla. Se sobrepone, sin embargo:

>   Te sigo. Espero. Sé
>   que cuando no te miren
>   túneles ni luceros,
>   cuando se crea el mundo
>   que ya sabe quién eres

y diga: "Sí, ya sé",
tú te desatarás,
con los brazos en alto,
por detrás de tu pelo,
la lazada, mirándome (...)
Y al verte en el amor
que yo te tiendo siempre
como un espejo ardiendo,
tú reconocerás
un rostro serio, grave,
una desconocida
alta, pálida y triste,
que es mi amada. Y me quiere
por detrás de la risa.

La verdadera amada hace su irrupción. Se sustituye, entonces, el movimiento de antes —fugacidad de la amada— por una lentitud (deseo de detener el amor, de apresarlo), la cual reflejan los versos:

tú te desatarás
con los brazos en alto,
por detrás de tu pelo,
la lazada, mirándome.

O sea, en lugar de decir: "tú te desatarás la lazada del pelo" simplemente, se insiste en dos versos en la forma como la amada ha de realizar ese acto; versos que no añaden nada de inesperado (para desatarse una lazada del pelo no hay más remedio que alzar los brazos por detrás de él). El acto tan sencillo deviene así una especie de rito solemne, demorado. El gerundio "mirándome", con su sentido durativo habitual, refuerza la lentitud. (Compárese con aquel "de reina antigua, *mirándome*", FyS., 16). Creemos que el simbolismo de estos versos es el siguiente: desatarse la lazada que ciñe el pelo implica una distensión del ser. Distensión que se produce ahora, al lograrse la armonía del mismo; es decir, la coincidencia de la mujer con su amor (o su alma), que hace surgir a la amante. Repárese aún en que la vocal acentuada aquí (salvo en *pelo*) es siempre *a*. Vocal que, como vimos más de una vez, es representante en Salinas de lo abstracto o uniforme: de la eternidad (del amor —vida— o de la muerte). Aquí, claro, de lo primero: es la uniformidad querida, como opuesta al cambio. También el ritmo traduce esta uniformidad. Los tres versos que nos ocupan (prescindimos de "tú te desatarás") se sujetan a un mismo ritmo:

$$- - \acute{} - - \acute{} -,$$

como si el movimiento de la amada —su ir y venir— se sujetara también. Esto no es frecuente en Salinas, cuyos versos ofrecen un ritmo constantemente cambiante, y por eso el hecho tiene tanto más interés [14]. Finalmente, el futuro "tú te desatarás", en paralelismo con "tú reconocerás", ambos ocupando un verso entero, forman como una especie de marco, que sujetase también el movimiento de la amada.

Los versos que siguen, introducen la precisión importante de que hablábamos no hace mucho. La amada, para llegar a su amor (o alma), necesita del amante: de su amor que, como un "espejo ardiendo", revelará el verdadero rostro de la mujer. Es otro siempre quien revela el alma. Dicho de otro modo: el alma se revela sólo en el amor, que exige dos seres. El "espejo ardiendo" se opone así a la gelidez de los valses *helados* del mundo sin amor. En él se reconoce una amada nueva: "alta, pálida y triste". Verso éste de impresionante belleza. De los tres adjetivos que lo forman, el más difícil de interpretar es *alta*. Creo que con él Salinas quiere conseguir una impresión de majestad, en la línea de lo solemne, antes señalada. Habríamos de verlo, entonces, en correspondencia con el verso "con los brazos en alto". Pero este adjetivo (*alto, -a*), muy frecuente en Salinas, con la acepción física misma que aquí tiene, suele ser expresión, en sus versos, de una idea de altitud síquica (una manera plástica de representarse ésta): lo más alto de

---

[14] No es, sin embargo, un caso único. En un capítulo posterior, dedicado 1 estudio del ritmo, veremos ejemplos análogos.

un ser. Quiérese decir lo más hondo o mejor de él (su amor, su alma).
Hay, pues, no sólo una idea de majestad, sino también, en contacto
íntimo con ella, una idea de espiritualidad.

Pálida y triste son adjetivos más fáciles de interpretar. Con ellos
la amada —que parecía inasequible— entra en la zona del poeta, que
nos imaginamos también *pálido* y *triste;* en una palabra, se humaniza.
La tristeza sume a un ser en sí mismo (que es de lo que se trata ahora),
a diferencia de la alegría, que lo vierte hacia fuera. El adjetivo consigue, pues, la interiorización deseada del ser amado. Nótese que la
alegría, como opuesta a *triste,* está también aludida en el verso "*¡Qué
alegre!*", *dicen todos.* Lo que todos dicen no revela el ser profundo;
lo encubre, al contrario. *Todos* son la sociedad : en ella, lo íntimo (el
alma) no se revela. La "risa" apunta a la misma dimensión social. Es
detrás de ella, *detrás de las gentes,* donde la amada surge : dentro de
sí misma, retraída en sí misma. *Pálida, triste* [15].

Creemos, finalmente, que a la belleza del verso no es ajena su plas-
mación fonética ; concretamente, su vocalismo. Es un verso recorrido
de *aes,* que la punta acerada de dos *íes* (una acentuada) perturba. Curioso. Porque el contraste de *aes* con una vocal extrema, es uno de los
recursos favoritos de Salinas. Uno de los recursos de que su fina intuición se vale para exponer la dualidad de materia y espíritu, tema
central de su poesía [16].

---

[15] En otro poema (*Voz*, p. 162), Salinas dirá : "la mañana prepara / toda
su precisión / de rayos y de *risas*". Es decir : la mañana, con su luz (*rayos*),
delimita los seres (los precisa). Pero esta precisión, lo mismo que el estruendo
de las *risas*, oculta el verdadero ser (alma). Justamente, el amor, que revela
ese ser, lleva a cabo una deslimitación (imprecisión), como sabemos.

[16] Gerardo Diego cuenta una anécdota extraordinaria : "Coincidimos este
invierno [Salinas y yo] en la sala de "Raros" de la Nacional (...) Y le mostré
unos deliciosos versos de Pedro Soto de Rojas (...) [Salinas] fue a fijarse en
uno para mí casi inadvertido. Describiendo el baño de Diana decía [Soto] de
su piel que era

sutil, cándida y lisa.

Leyendo luego *Presagios* lo he comprendido. Porque la poesía de Pedro
Salinas es también "sutil, cándida y lisa" como la castidad cristalina de Diana" (*art. cit.*, p. 144).

EL CAMBIO Y LA QUIETUD.

PROCEDIMIENTOS EXPRESIVOS

Es la expresión de cambio y quietud uno de los grandes temas secundarios de la poesía de Salinas, en relación con su tema central: el amor. Se quiere apresar el amor; impedir el cambio:

> Y mientras siguen
> dando vueltas y vueltas, entregándose,
> engañándose,
> tus rostros, tus caprichos y tus besos,
> tus delicias volubles, tus contactos
> rápidos con el mundo,
> haber llegado yo
> al centro puro, inmóvil, de ti misma.
>
> (Voz, p. 157)

Tus rostros, tus caprichos y tus besos: tu cuerpo cambiante. La palabra "capricho", referida a la amada, ocurre más de una vez. Está ya en el poema inicial de *La voz...*: "que te *encaprichó* una sombra". Los gerundios, en forma reflexiva ("entregándose", "engañándose"), sugieren ese "dar vueltas", ese ir y venir de la amada. En la forma reflexiva, en efecto, hay un volver sobre sí mismo: un movimiento, por así decir, circular, no rectilíneo. También tiene interés aquí el uso del infinitivo: "haber llegado yo". No se emplea una forma como "que yo llegue" o "que yo haya llegado". El infinitivo deja la acción en una indefinición temporal, que es lo que se desea. Parece como si así nos instaláramos, de un modo permanente, en el término del "lle-

---

Cierto. El contenido de ese verso tenía que impresionar a Salinas. Pero, parte la idea que los adjetivos expresan, ¿no le habrá impresionado también, más o menos inconscientemente, el delicado juego vocálico del verso? Está ahí, como tantas veces en Salinas, establecido el contraste entre la *a* y una vocal extrema.

gar": ese centro puro, inmóvil, de la amada. (Comp.: *"Quedarme aquí, en esta casa"*, SA., 9).

Un uso análogo del infinitivo aparece en otro poema, que muestra también otros interesantes procedimientos expresivos:

> Yo no puedo darte más.
> No soy más que lo que soy.
>
> ¡Ay, cómo quisiera ser
> arena, sol, en estío!
> Que te tendieses
> descansada a descansar.
> Que me dejaras
> tu cuerpo al marcharte, huella
> tierna, tibia, inolvidable.
> Y que contigo se fuese
> sobre ti, mi beso lento:
> color,
> desde la nuca al talón,
> moreno.
>
> (Voz, p. 157)

El participio pasivo ("descansada"), inútil desde un punto de vista lógico, subraya la idea de descanso. Es una forma estática, como el infinitivo. Más adelante, la intromisión de una frase entre el sustantivo *color* y su adjetivo: *moreno*, distiende el sintagma, retardando el término adjunto como en una especie de cámara lenta (a tono con la idea expresada). A ello coadyuva, además, el hecho de que sustantivo y adjetivo aparezcan solos cada uno en un verso: la morosidad es bien patente. El beso (del poeta hecho sol) se propaga, convertido en color por el cuerpo todo de la amada: desde la nuca al talón. El amante desea una unión, que va más allá del contacto furtivo ("tus contactos rápidos con el mundo"): que lo prolonga largo tiempo —imagen de sol— o que lo perpetúa, en cierto modo, una vez que éste termin —imagen de la huella en la arena—.

        ¡ Ay, cómo quisiera ser
        vidrio, o estofa o madera
        que conserva su color
        aquí, su perfume aquí,
        y nació a tres mil kilómetros !
        Ser
        la materia que te gusta,
        que tocas todos los días...

Aquí tenemos al infinitivo, y ocupando, además, él solo todo un verso. El sentido es el mismo de antes : derrocar el tiempo (no situando la acción en ninguno determinado). Obsérvese también el verso "aquí, su perfume aquí". Muestra una doble acentuación aguda, al principio y al final, conseguida mediante la repetición de la palabra importante : "aquí". Se trata, en efecto, de concretar el ser del amor, de impedir que éste se vaya. Los acentos agudos son como remaches, que impiden toda escapatoria (según otras veces vimos) [17]. La precisión en la distancia ("tres mil kilómetros") dice lo alejados que estamos de toda vaguedad romántica. (Comp. : "Y si una duda te hace / señas a diez mil kilómetros", Voz, p. 131). Salinas tiene una sed de precisiones, que se corresponde muy bien con su visión del mundo. Alejado por igual de lo sin alma, prosaico, y de lo vago, misterioso. Los números, como en otra parte decíamos, le son gratos en cuanto concretan lo abstracto, en cuanto descifran el misterio. (Recordemos : "En vez de soñar, contar", FyS., 24.)

Dos procedimientos principales se señalan, pues, como expresión de la quietud deseada : el uso del infinitivo y el de una acentuación aguda [18]. Podemos verlos ambos combinados en un poema de *Razón de amor*. El que empieza así :

---

17 Recuérdese el verso final del poema hace poco citado (en la p. 87) : "de er, en *ti*, tu vida". Parece trasmitir el deseo de las fuerzas y vientos —coincidente con el del amante— por apresar el cuerpo de la amada, del amor; por o pasar, devorados por él.

18 Hemos visto que el estatismo (intemporalidad) del infinitivo puede serir también para expresar la monotonía de la vida —que es como la muerte—.

> Ahora te quiero
> como el mar quiere a su agua...
>
> (RA., p. 244)

Es ésta una imagen sorprendente, y, sin embargo, muy saliniana. Mar y agua son, en realidad, lo mismo: se logra, entonces, la confusión querida de los amantes. Pero, además, los remolinos de mar y agua, sus tormentas, sus calmas, traducen muy bien el dramatismo (luchas y treguas) con que el amor se presenta en los versos de Salinas:

> ¡Qué frenesíes, quererte!
> ¡Qué entusiasmos de olas altas,
> y qué desmayos de espumas
> van y vienen!

Pero lo que se quiere es la quietud, la paz del amor. Esa paz se encuentra en el fondo del mar, a salvo ya de movimiento; ésta es la razón decisiva del empleo de la imagen. Y, apoyando a la imagen, recorre los versos una serie de infinitivos y de acentuaciones agudas:

> Pero *detrás* de sus flancos
> está soñándose un sueño
> de otra forma *más* profunda
> de *querer,* que *está allá* abajo:
> de no *ser ya* movimiento,
> de *acabar* este *vaivén,*
> este *ir* y *venir,* de cielos
> a abismos, de *hallar* por *fin*
> la inmóvil *flor* sin otoño
> de un quererse quieto, quieto.

"Florecer, deshojarse..." Pasa aquí lo mismo que con el gerundio, con su doble significación, o que con la enumeración caótica (caos de la vida o caos del paraíso). El hecho de que Salinas distinga dos eternidades: la de la muerte-vida ("eternidad blanda del tiempo", que dice un verso suyo, RA., p. 218) y la del amor, permite estas dobles interpretaciones.

Los infinitivos, aparte su valor estático, poseen siempre acentuación aguda, que refuerza a la de las otras palabras. Abundan, además, los sinónimos, que comunican lentitud a la frase, no introduciendo nociones nuevas. Añádase aún el insistente empleo de la preposición *de* y la doble aparición del "está". Su significación aquí es la proveniente del *stare* latino. Resumen de todo es el repetirse del adjetivo final *quieto.*

En los versos finales del poema se consigue el mismo efecto:

> *Amor*
> tan sepultado en su *ser,*
> tan entregado, tan quieto,
> que nuestro *querer* en vida
> se sintiese
> seguro de no *acabar*
> cuando terminan los besos,
> las miradas, las señales.
> Tan cierto de no *morir*
> como *está*
> el *gran amor* de los muertos.

La acentuación aguda, si menos frecuente que antes, se traslada, en cambio, a las palabras finales del verso, con lo que su efecto es más perceptible; son, además, los infinitivos, como antes, quienes principalmente la soportan (y junto a ellos, el "está" otra vez). Finalmente, la rima (e- o) introduce también un elemento de quietud. Sería, entonces, un tercer procedimiento, junto a los otros dos ya enunciados. De él quisiéramos decir unas palabras. La rima, al recordar el verso cuya terminación repite, detiene, como si dijéramos, un momento el avance del poema. Hay un descanso. Cumple, además, una función arquitectónica, análoga a la de la estrofa (de la que suele ser componente básico): esto también es un modo de reposo. Así entendida, la rima es un procedimiento de singular importancia. Articula enteramente, por ejemplo, el poema *Ayer te besé en los labios...* (Voz, p. 171). Un poema donde se quiere evitar la fugacidad del beso (sim-

bólica de la del amor). Se quiere que el beso no huya, dure siempre.
Para ello, el poeta le quita lo que de carne —es ella la que pasa,
la que cambia— tiene:

> Hoy estoy besando un beso;
> estoy solo con mis labios.
> Los pongo
> no en tu boca, no, ya no
> —¿adónde se me ha escapado?—.
> Los pongo
> en el beso que te di
> ayer, en las bocas juntas
> del beso que se besaron.

Rima *a-o* (que alterna en el poema con otra rima: *e-o*). Y véase
esa repetición del *Los pongo*, que, de modo análogo a como vimos
hace poco, recuerda, por su disposición en el poema, el paralelismo de
listones de un marco, que aprisionase lo que intenta huir [19].

---

[19] Se recordará que este procedimiento ya aparecía en los libros iniciales
de Salinas, y le atribuíamos allí la misión de concretar (dotar de límites) lo
abstracto o infinito. Eso abstracto o infinito es, ahora, el amor, que se trata
de apresar. Es decir, hacerlo carne nuestra (dotándolo así de límites, concre-
tándolo), y, de tal modo, impidiendo su huida. (Más exactamente, como dijimos, nuestra huida: somos nosotros quienes huimos de él, quienes cambia-
mos.) Se ve, pues, que concreción y cese del cambio viene a ser lo mismo. La
concreción de lo abstracto, que en los versos de Salinas quiere decir acuerdo
del cuerpo y el alma —del cuerpo (variable) con el alma (invariable)— produce
la quietud, o a la inversa. Esto está claro en otro poema:

> Distánciamela, espejo;
> trastorna su tamaño.
> A ella, que llena el mundo,
> hazla menuda, mínima.
> Que quepa en monosílabos,
> en unos ojos;
> que la puedas tener
> a ella, desmesurada,
> gacela, ya sujeta,
> infantil, en tu marco.
>
>   (Voz, p. 187)

Claro que como hay dos quietudes: la del amor y la de la muerte (vida cotidiana o "cielos tontos"), la rima, lo mismo que el infinitivo, puede sugerir cualquiera de ellas. Así empieza un poema de *La voz*...:

> "Mañana". La palabra
> iba suelta, vacante,
> ingrávida, en el aire,
> tan sin alma y sin cuerpo,
> tan sin color ni beso,
> que la dejé pasar
> por mi lado, en mi hoy.
> (Voz, pp. 137-138)

Obsérvese la fisonomía de los versos. En los cinco primeros ocurren tres rimas: *a-e* (versos 2 y 3), *e-o* (versos 4 y 5) y la rima interna *(a-a)* del primer verso. Ello produce una impresión de armonía, de sosiego, que nada perturba. La acentuación, además, es en vocal clara *(a, e)*, y los versos son más o menos bipartitos: como los pesos de una balanza en equilibrio. Nada vale esa quietud, sin embargo, y el poeta la desdeña. Desdeña la "gloria abstracta" [20].

> Pero de pronto tú
> dijiste: "Yo, mañana..."

La amada, que llena el mundo (que es todo el mundo para el amante) se reduce a los límites que le traza el espejo. Es decir, el amor —que la amada simboliza— se concreta en medida abarcable, humana ("que quepa en unos ojos"). Pero esa concreción debe llevar a cabo también un cese del movimiento: "gacela, ya sujeta".

[20] En otro poema, leemos:

> Flotantes andarían, vagabundas,
> como dos nubes (...),
> condenadas al cielo...
> (RA., p. 277)

Se puede, pues, estar condenado al cielo. Es decir, el cielo puede ser un infierno tanto como la tierra. La frase es bella e intensa. Condenado al cielo e estaría si no existieran los cuerpos.

La amada surge, entonces, para dar cuerpo a la palabra exangüe. Corporeización que los dos acentos agudos (*tú, yo*) ponen muy de relieve. Antes, en los cinco versos comentados, teníamos una acentuación llana (con una sola excepción: la palabra "color"); ahora tenemos una aguda. La acentuación llana sugiere el equilibrio, la normalidad (es, efectivamente, la más normal en castellano), frente a la aguda y esdrújula, que introducen una perturbación [21].

En fin, para terminar, veamos este poema, donde las ideas que comentamos encuentran una expresión singularmente bella e intensa:

¡Qué entera cae la piedra!
Nada disiente en ella
de su destino, de su ley: el suelo.

---

[21] Compárese el verso *dijiste:* "*Yo, mañana...*" con aquel *inicial, tú, palabra*, ya comentado. A la perturbación de lo agudo en lo llano se alía, en ambos, la de la vocal cerrada (*dijiste, tú*) en una serie de vocales de abertura máxima (a- a- a). Ya vimos que la aparición de la amada —de su cuerpo triunfante— producía estas cosas. En los versos que siguen de este poema la acumulación de vocales cerradas tónicas es verdaderamente notable:

Se me precipitaban
encima las promesas
de seiscientos colores,
con vestidos de moda,
desnudas, pero todas
cargadas de caricias.
En trenes o en gacelas
me llegaban —agudas,
sones de violines—
esperanzas delgadas...

Obsérvese cómo la acentuación aguda se corresponde con una agudez real: "esperanzas agudas". Luego leemos:

tú pusiste, *agudísima*,
arma de veinte años...

Y aún podríamos decir que la agudez viene reforzada, además, por el timbre agudo de la vocal *i* (que el poeta tanto prodiga). Son distintas maneras de manifestarse lo "agudo" (como expresión o símbolo de lo concreto), coincidentes todas en su sentido.

> No te expliques tu amor, ni me lo expliques;
> obedecerlo basta. Cierra
> los ojos, las preguntas...
>
> **(Voz, p. 173)**

Ciérralos, diríamos, para que venga la noche, el silencio: los aliados del amor. Notemos lo impropio del verbo "cerrar", referido a las
preguntas; se confunden complementos que exigirían, cada uno, un
verbo diferente. ¿No es la obediencia ciega de que se habla, el rechazo de explicaciones pedido, lo que provoca tal ilogicismo? Como si la
frase, lo mismo que la piedra, siguiera un curso fatal, no el curso que
nuestra razón pudiera imponerle. La *confusión* va a dominar la frase;
su sintaxis es poco clara:

> ...los ojos, las preguntas, húndete
> en tu querer, la ley anticipando
> por voluntad, llenándolo de síes,
> de banderas, de gozos,
> ese otro hundirse que detrás aguarda,
> de la muerte fatal.

Creemos que lo que se quiere decir es esto: "Húndete en tu que-
er, llenándolo de síes, de banderas, de gozos, anticipando por volun-
ad la ley de la muerte fatal, ese otro hundirse que detrás aguarda".
ero este orden racional ha sido muy alterado. Los miembros de la
ase se salen de sus límites, de sus casillas, en una suerte de alucina-
ón que recuerda al amor. Que recuerda a la muerte. Sí, porque la
uerte, lo mismo que el amor, es algo que nos deslimita, reintegrán-
nos a la total unidad. La "muerte fatal", en fin de frase, resuena,
emás, de otro modo —con más gravedad, con más persistencia—
e perdida en medio.

> ...de la muerte fatal. Mejor no amarse
> mirándose en espejos complacidos,
> deshaciendo

> esa gran unidad en juegos vanos;
> mejor no amarse
> con alas, por el aire,
> como las mariposas o las nubes,
> flotantes.

Los dos términos que se identifican —amor y muerte— resaltan en un solo verso:

> de la *muerte* fatal. Mejor no *amarse*...

Su contraste es así más evidente. Las "nubes" y las "mariposas" son expresión de lo inestable, de lo que va y viene. Se rechazan por tanto. La quietud que, un momento ("amarse / aire / flotantes"), la rima introduce, no es tampoco aquí la quietud del amor único, sino del falso amor (*un* amor). Es el quedar incesante del incesante pasar [22]. Véase aún que la palabra "flotantes", yendo como va entre dos pausas, parece que flota efectivamente.

---

[22] Se nos permitirá, ahora, mostrar nuestro desacuerdo con una afirmación de L. F. Vivanco: "En Salinas, la situación de la palabra no cuenta para nada, porque la forma misma del poema es su fluencia explicativa" (*Ob. cit.*, p. 123). Pero esa característica (fluencia explicativa), en cierto modo esencial, no impide que la situación de la palabra cuente. El caso de la rima, aunque no el único, nos parece ejemplar en este punto. Salinas consigue con ella —lo mismo que con la estrofa— una calma, una distensión, que aquieta, un momento, la tensión característica de su poesía. Después de todo, no tendríamos inconveniente en aplicarle estas palabras, tan justas que el propio Vivanco dedica a la rima asonante en Guillén (cuyo rigor estrófico contrapone a la "fluencia explicativa" de nuestro poeta): "esta asonancia se apoya en intuiciones más bien plásticas que musicales. Y va a ser característico suyo emplearla como sucedáneo del consonante. Esto no sucede en ningún otro poeta anterior a él. En Machado o en Juan Ramón, como antes en Bécquer, la asonancia no es más que asonancia, es decir, otra cosa radicalmente distinta de la consonancia, una música más holgada y una posibilidad de relaciones más íntimas entre la palabra y el alma. En Guillén —al que horrorizarían ese tipo de relaciones— la asonancia asume perfiles de consonancia perfecta" (pp. 99-100).
Sí, también en Salinas la asonancia tiene función más plástica que musical. Es un modo de arquitecturar el verso, de detener (aunque sea un instante) la fluencia. Sólo que el procedimiento es, en él, esporádico, mientras que en Guillén es normal.

...flotantes. Busca pesos,
los más hondos, en ti, que ellos te arrastren
a ese gran centro donde yo te espero.
Amor total, quererse como masas.

Es ahora, sólo ahora, cuando se mienta la quietud del amor. Quietud que sugieren las "masas": algo bien estable, inconmovible. Pero nótese que es la asociación a *pesos,* y la contraposición a *nubes* y *mariposas,* la que permite una interpretación así. También estas últimas son masas (o tienen masa). Pero son movibles y desaparecen. En la palabra "masas", además, hay una idea de consistencia. Las "masas", como la *piedra* compacta del primer verso, no son fáciles de disgregar. No deshacen, en juegos vanos, esa gran unidad del amor.

LO HORIZONTAL Y LO VERTICAL

La quietud se representa también en los versos de Salinas por lo *horizontal.* Horizontal es la postura que tomamos al tendernos, cuando descansamos:

Horizontal, sí, te quiero (...)
Ríndete
a la gran verdad final,
a lo que has de ser conmigo,
tendida ya, paralela,
en la muerte o en el beso.

(Voz, p. 165)

La significación de la quietud —horizontalidad— como símbolo el amor, queda bien clara. El amor es una cesación del movimiento ráfago de la vida): una reconciliación del cuerpo con el alma ("cen o puro, inmóvil"). La muerte queda equiparada al beso —es decir, amor—, porque, como éste, lleva a cabo una deslimitación del ser, ie se evade, entonces, del tiempo-espacio que lo aprisionaba.

> Horizontal es la noche
> en el mar, gran masa trémula
> sobre la tierra acostada,
> vencida sobre la playa.

La noche, aliada del amor (reveladora del alma), es, ella misma, horizontal. La imagen de la noche se continúa con la del mar. Este es una "gran masa", que, por eso mismo, difícilmente podría moverse. *Acostada, vencida,* además. Se amontonan las expresiones de quietud. Por otra parte, mar y tierra son paralelos, como los amantes. De nuevo, la quietud se relaciona con el amor.

> El estar de pie, mentira:
> sólo correr o tenderse.

A lo horizontal se opone lo vertical: "estar de pie". Es ésta la actitud que, normalmente, observamos de día[23], y ya sabemos que el día oculta, mejor que nada, el alma. Los hombres son, entonces, seres engañosos, que van como provistos de una máscara. Sólo es verdad tenderse o correr. Este último verbo es algo difícil de interpretar, puesto que no se refiere a ninguna quietud, sino, al contrario, a un movimiento. Pero este movimiento, por oposición al *estar de pie,* creemos que alude a una pérdida de rigidez, una enajenación o salirse de sí mismo (de los propios límites). No se olvide tampoco que, después de correr, es frecuente tenderse.

> Y lo que tú y yo queremos
> y el día —ya tan cansado
> de estar con su luz, derecho—
> es que nos llegue, viviendo

---

23 "Ya está. Las verticales / entran a trabajar", dice Salinas en otro lu gar (Voz, p. 162), refiriéndose, tras una noche de amor, al hombre que entr a formar parte de la rutina del mundo. El poema termina, justamente, h blando del "gran error del día", que amanece. La gran mentira.

> y con temblor de morir,
> en lo más alto del beso,
> ese quedarse rendidos
> por el amor más ingrávido...

Así como la noche es horizontal, el día es vertical. Símbolo de todos los seres que vemos de día : derechos, compuestos, ocultándose unos a otros lo más profundo de sí. Lo que queremos, entonces, es que nos llegue el descanso de la noche, del amor, donde accedemos a la intimidad del ser. Con *temblor de morir,* que se compara, otra vez, al amor *(beso).* La rima ("queremos... derecho... viviendo... beso") supone, una vez más, una sensación de reposo. El verso se remansa, al obligarle a pasar, repetidamente, por el mismo arcaduz. Se rinde a la rima, como al amor de los amantes.

El descanso (cumplimiento) del amor, que lo *horizontal* expresa, aparece también en estos otros versos :

> Cuando hallamos lo igual
> de ti y de mí, descansa
> el amor de su lucha
> sobre triunfos floridos
> que en el beso se cumplen,
> *horizontales.*
>
> (RA., p. 240)

Lo igual de ti y de mí es el amor que alcanzamos y en que nos unimos. Cesa la lucha. El beso simboliza la unión. Cuando ésta termina, las diferencias entre tú y yo surgen de nuevo, alejados del amor —que nos unía— los dos. Reempieza el combate. *Las verticales entran a trabajar:*

> ...Luego,
> lo distinto se alza,
> nos pone *en pie,* nos llama
> otra vez a vencernos...

Resumen de todo : la quietud que se pide a la amada, persigue su animación ; es decir, la coincidencia de su cuerpo con el alma. El amor. La vida (verdadera). Insistimos en esto, porque, de no tenerlo muy presente, podemos perdernos en apariencias contradictorias. Salinas, para referirse a la vida —que el amor crea— puede acudir a imágenes de movimiento ; puede representarse la animación (espiritualización) por una animación (movimiento). Puede, en fin, simbolizar en el *día* esa vida del amor. Tal ocurre en este poema :

> Ya está la ventana abierta.
> Tenía que ser así
> el día (...)
> Y todo,
> las aves de por el aire,
> las olas de por el mar,
> gozosamente animado :
> con el ánima
> misma que estaba latiendo
> en las olas y los vuelos
> nocturnos del abrazar.
>
> (RA., pp. 209-210)

Es el amor quien crea el día (la vida). Sin amor, lo hemos visto (y lo veremos más aún), los seres no son sino sombras, y el dominio de las sombras es la noche. Sólo si esa noche es una noche de amor, puede salir de ella el día. "Tenía que ser así", expresa ese razonamiento, cuando se dice todavía no claro para el lector, pero claro para el poeta. El día no existe sino gracias al amor ; sin él no habría más que noche (como sin el amor, la vida es muerte) :

> Un día
> es el gran rastro de luz
> que deja el amor detrás
> cuando cruza por la noche,
> sin él eterna, del mundo.

Véase, en los versos que preceden a éstos, cómo los dos amantes
—y no sólo la amada— son seres cósmicos: *"olas* y *vuelos* del abrazar". Es que el amor es un mundo, como dijimos, y ahora el amante
está en él; no es ya una sombra. Olas y vuelos son, además, palabras
cargadas de dinamismo (animación). También la preposición *por,* extraña gramaticalmente ("las aves de *por* el aire", "las olas de *por* el
mar") dinamiza los versos; los anima efectivamente. Hay un pulular
de vida, de la que el *día* (obra del amor) es símbolo. Sin que olvide-
mos que ese día sale de la noche: de la quietud y oscuridad que revelan el alma. Si Salinas, pues, en otros poemas, aconseja a la amada
que se tienda, no debe extrañarnos. La reflexión que se hace es la
siguiente: tiéndete (detén tu movimiento) para vivir en el amor (para
animarte).

Terminaremos estas observaciones estudiando un poema, rico en
símbolos, donde apretadamente se ofrecen varios de los motivos ex-
puestos:

> La forma de querer tú
> es dejarme que te quiera.
> El sí con que te me rindes
> es el silencio. Tus besos
> son ofrecerme los labios
> para que los bese yo.
>
> (Voz, pp. 173-174)

Se expone en estos versos, de nuevo, el deseo de una amada ren-
dida, entregada, de la cual se excluye el cambio, el desplazarse ame-
drentador. El "silencio", con que la amada se rinde, es un símbolo del
alma, como otras veces vimos. Alma, que es inalterable, siempre igual.
Son las palabras (los cuerpos) las que son distintas, cambiantes. Por
eso:

> Jamás palabras, abrazos,
> me dirán que tú existías,
> que me quisiste: jamás.
> Me lo dicen hojas blancas,
> mapas, augurios, teléfonos;
> tú, no.

El cuerpo solo (palabras, abrazos) no es indicio suficiente de existencia. Para acceder a ella —la verdadera existencia— hace falta el complemento del alma. Y el alma viene representada por la alusión a realidades que Salinas más de una vez menciona como símbolos de lo abstracto: "hojas blancas", "mapas". Recuérdese la oposición de la "hoja blanca" (alma) a la "palabra" (cuerpo) en el poema *Cuartilla* (SA., 1). También el "mapa" es una abstracción (esquema) del mundo, del cuerpo del mundo [24].

Pero, junto a estas significaciones, vemos en "hoja blanca" y en "mapa" un símbolo de la quietud. Lo plano, lo monótono, que nada altera; aquí con carácter valioso. Es la quietud del amor, no de la muerte-vida [25].

---

[24] Lo que puede despistar, en éste como en otros casos, es el opuesto funcionamiento (positivo o negativo) de una misma palabra. Los "mapas" que, por sí solos, son algo sin vida (como tales se ven en el poema *Si me llamaras...*), devienen algo vivo —valioso— si se asocian a un cuerpo (como la hoja blanca se vivifica al contacto de la palabra, y viceversa). Funcionamiento negativo —como en *Si me llamaras...*— tiene el "mapa" en estos versos:

> ¿Será de aquella isla
> escapada del mapa (...)?
> (Voz, p. 139)

Se refiere el poeta a la alegría, que de pronto le invade, y se pregunta de dónde puede venir. El *mapa* es, entonces, lo no-vivo (extensión plana y monótona de la vida diaria, que es como la muerte); de él se evade una *isla*: un instante pleno (amor, gozo). La acentuación en *i* de la palabra *isla* creemos que contribuye, por otra parte, a destacarla de la monotonía (*a-a*) del mapa, tal como otras veces vimos. (Acordémonos de la anécdota que G. Diego cuenta).

Comprendemos ahora que, en otro poema, Salinas defina así el paraíso: "paraíso sin lugar, isla sin mapa" (RA., 213). Es decir, como antes, isla escapada del mapa: del mundo, que nos sujeta a sus límites.

[25] Para pensar así, nos apoyamos en unos versos del poema ya citado *Distánciamela, espejo...* Allí leemos:

> déjala fría, lisa,
> enterrada en tu azogue.

La *lisura* del espejo es como la del mapa o la hoja. Y a ella se dice que entierre a la amada; es decir, que la aquiete, que aquiete su movimiento. Movimiento a que se opone también (a su *ardor*) la *frialdad* del azogue.

Por su parte, el "teléfono" es un aniquilador del cuerpo —y también de distancias (espacios)—, según veíamos en el poema 26 de *Fábula y Signo*. Comentábamos allí: "El teléfono reduce el ser de una persona a su voz; su cuerpo se borra (como en la noche). La voz, entonces, ¿no adquiere una calidad de alma?".

Finalmente, los "augurios", asimilados caóticamente a los términos citados, apuntan a un tipo parecido de realidad: la de lo misterioso, los "presagios", posibles infundidores también de un alma. Todo eso (mapas, augurios, teléfonos...) puede certificar la existencia de la amada. "Tú, no". *Tú*, es decir, *tu cuerpo* (tu cuerpo solo), no. De ahí se llega a la extraña situación expresada por los versos que siguen:

> Y estoy abrazado a ti
> sin preguntarte, de miedo
> a que no sea verdad
> que tú vives y me quieres.
> Y estoy abrazado a ti
> sin mirar y sin tocarte.

Ese "estar abrazado sin mirar" nos recuerda al poema *Amada exacta* (SA., 33), donde se olvidaba a la amada que estaba presente: estratagema que suponía, nada menos, el dotarla de alma. "Ahora ya puedo olvidarte [es decir, difuminarte, espiritualizarte] / porque estás aquí, a mi lado [es decir, corporal]". Si no fuera así, no podría, pues el alma sola (el olvido sin cuerpo) nada vale. Algo parecido ocurre en o de estar abrazado a ciegas. El cuerpo está presente, y a la vez invisible, como en la noche (reveladora del alma). Aquí la noche, claro, es la noche de los ojos. Pero el procedimiento llega al colmo en ese imposible de "y estoy abrazado a ti... sin tocarte". La contradicción conceptual traduce, con intensidad desusada, la firme vocación del poeta: espiritualizar la materia ("sin tocarte": como si se tratara de un

---

El mapa, además, como el azogue, reduciría el mundo, inabarcable y enigmático —en eso parecido al alma—, a unos límites claros, abarcables. Sería así e una manera inversa a la primero enunciada, aunque coincidente en el reltado) valioso también.

espíritu). Pero, al mismo tiempo, abrazado. Y obsérvese que este deseo de llegar al alma, no se expresa ya en términos de "asir lo inasidero" (como en Pr., 3), sino de "inasir lo asido" : algo enteramente nuevo y desconcertante.

La repetición del "Y estoy abrazado a ti" alude ahora al ferviente modo de agarrarse a ese cuerpo, de insistir en el abrazo, por miedo a que el cuerpo huya. Repetición, pues, enormemente afectiva. En fin, el verso "que tú vives y me quieres" asocia, una vez más, vivir y querer. Igual asociación se había realizado unos versos antes : "me dirán que tú existías, / que me quisiste...". Lo original en Salinas es que la ecuación normal (para querer, hace falta existir) se invierte : para existir, hace falta querer. Vives, *porque* me quieres.

No nos quedan ya sino los versos finales :

> No vaya a ser que descubra
> con preguntas, con caricias,
> esa soledad inmensa
> de quererte sólo yo.

Versos que se nos clavan, para siempre, en el alma. Los dos últimos, sobre todo. ¡Qué impresionante, qué inolvidable ese efecto conseguido por el sigiloso arrastrarse de *eses*! Cierre magnífico de un magnífico poema.

LA MEMORIA Y EL CUERPO

La idea, antes expuesta, del amor como lucha, en cuyo aquietarse él se cumple, explica otro poema (espléndido también) de Salinas :

> ¿No sientes el cansancio redimido
> hoy, al servir de muda y honda prueba
> de las vidas gastadas en vivirnos?
> No quiero separarme
> de esa gran traspresencia de ti en mí :
> el cansancio del cuerpo.
>
> (RA., pp. 242-243)

Al ser el amor una lucha, el cansancio —que normalmente sigue a la lucha— recuerda al amor. "Vivirnos" es, en efecto, amarnos. Es vivirte yo a ti, tú a mí, y nosotros a nosotros mismos. El pronombre reflexivo indica ese buceo en la propia intimidad, que el amor lleva a cabo. Pero, además, el hecho de que sea el cuerpo, a través del cansancio, el que recuerde, interpretando así el papel de la memoria, lo espiritualiza. Lo redime, como se dice en los versos. La misma fusión de cuerpo y alma que la quietud (cumplirse del amor) consigue, se logra ahora. El acierto imaginativo es extraordinario:

> Y la carne se siente
> júbilo de asunción al encargarse
> hoy, para el ser entero
> de recordar, de la misión del alma,
> cuando hasta, por las venas,
> la misma sangre va vuelta en recuerdo.

Una última observación. En este poema, el heptasílabo —metro dominante en los versos de Salinas— alterna con un metro más largo: el endecasílabo. Este es quien lleva la pauta ahora. Parece, pues, como si el cansancio, la quietud, se trasmitiera a la medida amplia del verso: más lento, menos cortado y nervioso que el heptasílabo normal.

Esta sustitución del heptasílabo (o del octosílabo, que concurre, en segundo lugar, con él), como metro dominante, por el endecasílabo, suele darse en aquellos poemas que cantan la ausencia de la amada. El amante, entonces, se dedica a pensar en ella. El tono meditativo trae como consecuencia un cambio de metro. Es la mente, diríamos, que se explaya complacida. No hay aquí el ritmo febril, apresurado o entrecortado por el temor, de los poemas de búsqueda, de lucha. La presencia de la amada nos invita a ahondar en ella, con fervor, cada vez más. Pero la ausencia de la amada nos mueve a pensar en ella o a recordarla. El endecasílabo aparece entonces: sus morosos meandros recorren el poema. El tono se hace menos dramático. Véase el poema

Qué alegría vivir... (Voz, p. 155). Comienza con el heptasílabo acostumbrado:

> Qué alegría vivir
> sintiéndose vivido.

Pero el verso que sigue: *Rendirse* (tres sílabas sólo) marca el comienzo de un nuevo ritmo más amplio —endecasílabo—, a que el pensamiento se rinde. Ha cesado la lucha.

> Rendirse
> a la gran certidumbre, oscuramente,
> de que otro ser, fuera de mí, muy lejos, etc.

Las mismas observaciones pueden hacerse a propósito del poema *Ya no puedo encontrarte...* (Voz, p. 167). En este poema, Salinas, por el sencillo procedimiento de reunir dos heptasílabos, consigue un metro largo: el alejandrino, que alterna con el endecasílabo:

> allí en esa distancia, precisa con su nombre...
>
> a sorprender tu sueño, o tu risa, o tu juego...
>
> En tu tránsito vives, en venir hacia mí...

Etc. Pero el metro largo aparece, sobre todo, en los poemas de *Razón de amor,* de tono más meditabundo —es decir, más distanciados de la experiencia vivida— que los de *La voz...* [26], y muy especialmente en los de la segunda parte: poemas extensos, con título incluso, a diferencia de todos los restantes. Su carácter de recapitulación es bien claro. Salinas parece resumir en ellos su idea del amor. Esto impone, creemos, la desaparición del heptasílabo (salvo en un poema: *El dolor*) como metro dominante [27].

---

[26] "En este nuevo libro de Salinas —dice Vivanco—, la forma poemática continúa fluyendo, pero el puro entusiasmo se ha cargado de conciencia reflexiva" (*Ob. cit.,* p. 131).

[27] Puesto que hablamos del metro, es interesante advertir cómo el heptasílabo (dominante, según decimos) se quiebra también, a veces, por un metro más corto:

Dejemos este paréntesis. Otro poema nos interesa en lo que toca al tema de la memoria y el cuerpo. Es el poema que empieza así:

> La materia no pesa.
> Ni tu cuerpo ni el mío,
> juntos, se sienten nunca
> servidumbre, sí alas.
>
> (Voz, pp. 179-180)

La palabra decisiva es aquí "juntos". Lo que ocurre cuando dos que se aman se *juntan,* es que los cuerpos quedan como traspasados y ascendidos a la gloria del amor. La materia no se siente.

> El mundo material
> nace cuando te marchas.

Así es: entonces se vuelve a adquirir conciencia del cuerpo solitario, reducido a los estrechos límites que le marcan espacio y tiempo. Tales son las leyes de la materia, del mundo material. Sólo los espí-

---

> O veloces y grandes,
> como buques, de lejos,
> como ballenas (...)
> inmensas esperanzas...
>
> (Voz, p. 138)

El pentasílabo "como ballenas" no se deja arrastrar por el flujo heptasilá-ɔico. Ello le confiere una especial densidad, muy a tono con su contenido. Lo nismo ocurre en este otro ejemplo:

> ¡Qué de pesos inmensos,
> órbitas celestiales,
> *se apoyan...*
>
> (Voz, p. 199)

Gerardo Diego, en su intuitivo artículo citado, donde señala el carácter ala-o de la poesía de Salinas, hace esta observación: "De cuando en cuando un erso más denso cae como un fruto maduro o se hinca doloroso en la hipo-ermis" (p. 143).

ritus pueden vagar por un espacio libre indefinidamente. Y como los
espíritus, los amantes, que se les asemejan.

> Pero lo insoportable,
> lo que me está agobiando,
> llamándome a la tierra,
> sin ti que me defiendas,
> es la distancia, es
> el hueco de tu cuerpo.

Sí, la materia, traspasada por el amor, se olvida de sí misma: deviene espíritu. Pero hace falta como punto de partida; hace falta su
presencia (aunque sea para olvidarla, como en el poema *Amada exacta*). Ausente, la materia nos obliga a que la añoremos, a desear llenar
constantemente el hueco que ha dejado. ¡Entonces sí que sentimos
la distancia que nos separa de ella! ¡Entonces sí que el recuerdo nos
entrega a las garras del tiempo!

> Sí, tú nunca, tú nunca:
> tu memoria es materia.

Tú —tu cuerpo presente— nunca me hará sentir su peso, su
materia (el amor, al juntarnos, se la quita). Lo que me la hará sentir
será el recuerdo, la memoria de ti: de ti ausente. Esa memoria gravita
(materialmente gravita) sobre mí. Eso es lo que es, irremisiblemente,
materia. No sólo, pues, que el cuerpo sea, o funcione, como memoria, según antes vimos, sino también lo contrario: la memoria funciona como cuerpo.

Obsérvese que el segundo verso no es una ampliación de lo que
se dice en el primero, como parecen indicar los dos puntos, sino que
se le contrapone. Los dos puntos son aquí engañosos: una dificultad
más que ha de vencer el lector.

Y ahora comprendemos plenamente la desvalorización del recuerdo
en la poesía de Salinas. El recuerdo —o la memoria, que es lo mismo— no sólo nos sitúa en un tiempo-espacio pasados, sino que é

mismo, en cuanto ser material, posee límites espacio-temporales. Límites que, como sabemos, el amor tiene por misión destruir. El recuerdo
es, por tanto, un estorbo de los más grandes. El traductor de Proust
que Salinas fue, no se parece nada en esto a él. Ninguna búsqueda
del tiempo perdido en Salinas, o, por lo menos, ninguna búsqueda
mediante el recuerdo. El recuerdo no sirve, no nos salva. Así dirá un
poema donde se canta el encuentro amoroso:

> Ha sido tan hermoso
> que no sufre memoria (...)
> Nada en ese milagro
> podría ser recuerdo:
> porque el recuerdo es
> la pena de sí mismo,
> el dolor del tamaño
> del tiempo y todo fue
> eternidad: relámpago.
>
> (RA., p. 221)

El recuerdo no nos devuelve al amor. Éste es instantáneo, milagroso (relámpago), y a la vez eterno: porque ese instante está fuera
del tiempo, no puede ser medido por él [28].

> Si quieres recordarlo
> no sirve el recordar.

---

[28] En otro poema, leemos:

> ...Fue un beso tan corto
> que duró más que un relámpago,
> que un milagro, más.
>
> (Voz, p. 171)

El beso, como el amor, es "relámpago", "milagro", visto y no visto, pero
inmensurable en su brevedad. Corto y largo, a la vez, según se mire. Eso
explica la anómala expresión: "tan corto que duró más que...". Duró mucho:
eso es lo que quiere decir "duró más que", y, a la vez, fue muy corto (y, por
eso, comparado a un relámpago o milagro).

> Sólo vale vivir
> de cara hacia ese dónde,
> queriéndolo, buscándolo.

Es decir, sólo vale reintegrar ese pasado a nuestro presente: hacerlo presente. Lo cual, claro, es muy distinto de recordarlo. El mismo rechazo del recuerdo se produce en el poema que sigue a éste, el cual, para entender mejor, vamos a comentar por entero (aunque sólo los versos finales se refieren al tema que ahora nos ocupa):

> ¿Acompañan las almas? ¿Se las siente?
> ¿O lo que te acompaña son dedales
> minúsculos de vidrio,
> cárceles de las puntas, de las fugas,
> rosadas, de los dedos?

Los "dedales" son lo que encarcela, lo que reduce a sus límites el cuerpo. "Minúsculos", además. Lo pequeño y lo limitado se asocian, contraponiéndose a la extensión desmesurada (sin límites) de las almas. Las almas son lo que se expande: las *fugas,* que los dedales impiden.

> ¿Acompañan las ansias? ¿Y los "más",
> los "más", los "más" no te acompañan?

Las "ansias" (de ser más) y los "más" —todo es uno, como se ve—, que se repiten (con repetición que acentúa, diríamos, lo que en los "más" hay de *más),* apuntan a la misma idea de aumento, más allá de todo límite.

> ¿O tienes junto a ti sólo la música
> tan mártir, destrozada
> de chocar contra todas las esquinas
> del mundo, la que tocan
> desesperadamente, sin besar,
> espectros por la radio?

La música de la radio es la música que suena en los límites reducidos de una habitación; no al aire libre (los aciagos tiempos de las radios portátiles no habían llegado aún), ni siquiera en los límites más amplios de una sala de conciertos. Suena, además, la música de radio sin que veamos los cuerpos (eso es lo que quiere decir "sin besar": sin realidad corporal) de los que la tocan. Estos son como "espectros", seres sin bulto. Esa música no es, entonces, ni alma (ilimitada) ni cuerpo. Estar acompañado de ella es lo mismo que estar acompañado de nada.

> ¿Acompañan las alas, o están lejos?
> Y dime, ¿te acompaña
> ese inmenso querer estar contigo
> que se llama el amor o el telegrama?

El "telegrama" es lo que se desplaza rápidamente, lo mismo que las "alas": lo que, como el amor, borra espacios. El adjetivo "inmenso" se opone al "minúsculo" de los versos iniciales. (Por otra parte, la palabra "telegrama" nos parece poco feliz: achica demasiado el vuelo del amor, al que se asocia, y la rima en *a-a* —con *acompaña*— le da un tono de soniquete fácil. Lástima, porque el poema, por lo demás, es muy hermoso).

> ¿O estás sola, sin otra compañía
> que mirar muy despacio, con los ojos
> arrasados de llanto, estampas viejas
> de modas anticuadas, y sentirte desnuda,
> sola, con tu desnudo prometido?

Extraordinarios versos éstos. *Muy despacio* se opone, sin duda, a la velocidad del telegrama. Las "estampas viejas de modas anticuadas" nos llevan al pasado, nos sitúan en la perspectiva temporal del recuerdo ("la pena de sí mismo, el dolor del tamaño del tiempo", según veíamos en el poema anterior). Nos explicamos, entonces, esos ojos "arrasados de llanto". La amada se siente *desnuda* con su *desnudo* prometido. El adjetivo alude aquí a una idea de soledad, de vacío, que el recuerdo pretendería en vano llenar. El recuerdo es una entelequia, que sólo vale si logra reencarnar en el cuerpo de que procede;

sólo vale como *retorno* (real, no mental) a ese cuerpo. Por su parte, el "prometido" nos traslada a la realidad aludida por una promesa : algo que aún no se ha cumplido. Hay una doble evasión, al pasado y al futuro, ninguna de las cuales sirve.

EL PARAÍSO

El amor trae como consecuencia la abolición de los límites espacio-temporales. Trae como consecuencia el paraíso. Vamos a detenernos un poco en el comentario de los poemas que cantan directamente esa visión gozosa.

> Amor, amor, catástrofe.
> ¡ Qué hundimiento del mundo !
>
> (Voz, p. 150)

El doble vocativo (amor, amor) parece un doble campanillazo que anuncia el comienzo de la función : una función sorprendente. Primero ese esdrújulo que sucede a la acentuación aguda —repetida—; como una granada que súbitamente estallase. Claro que el contraste acentual es mera añadidura del fuerte contraste de conceptos. Amor = catástrofe : algo que, de pronto, nos deja perplejos o que entendemos mal, ya que la palabra "catástrofe" no encierra significación negativa (como advertiremos si seguimos leyendo). Se ha operado una inversión de perspectivas. El procedimiento nos recuerda a aquel de dotar una palabra de un doble sentido antitético ; aunque aquí el sentido real permanece, pero afectado de una carga de valor contraria a la habitual. Ahí, en ese sugerir con palabras de tragedia un sentimiento nada trágico, yace la fuerza del poema. Continuemos :

> Un gran horror a techos
> quiebra columnas, tiempos ;
> los reemplaza por cielos
> intemporales. Andas, ando
> por entre escombros

de estíos y de inviernos
derrumbados. Se extinguen
las normas y los pesos.

Prosiguen las imágenes de tragedia ("gran horror"), que paradójicamente comunican un sentimiento de triunfo: el triunfo, nada ho-
rrible, del amor. Es el amor quien causa el hundimiento —es decir,
dasaparición— del mundo. Se evade de él, de sus límites. Adviértase
cómo los dos versos: "Andas, ando" (y, naturalmente, los dos pronombres verbales implícitos: *tú, yo*) quedan como flotantes, suspen-
didos en el vacío: el vacío creado por el amor de la pareja [29]. Van los
amantes ascendidos, una vez que el amor extingue los pesos. Cuerpos
animados (con almas que son como alas). El hecho de emplear un
doble singular, en lugar de la forma "andamos", que parecería más
normal, obedece, sin duda, al deseo de destacar a ambos protagonistas
(*tú y yo*), que no serían tan visibles en el plural borroso.

Toda hacia atrás la vida
se va quitando siglos,
frenética, de encima;
desteje, galopando,
su curso, lento antes...

Así como el amante busca a la amada *detrás* de las gentes, de la
sa (es decir, en un "detrás" espacial), ahora hay que ir hacia *atrás*
n el tiempo) [30]. Pero la referencia al espacio, en estrecha relación con
tiempo, aparece también en ese empleo curioso —metafórico— que

[29] Opuesto al vacío del no-amor, que puede expresarse también, como
nos, por un procedimiento semejante:

mejor no amarse
con alas, por el aire,
como las mariposas o las nubes,
flotantes. Busca pesos...

[30] Ya Spitzer advirtió esta transformación del "detrás" en un "atrás"
b. cit., p. 238).

Salinas hace del verbo "destejer". Destejer (es decir, deshacer el tejido que se ha hecho) es un verbo que aquí se aplica al tiempo que, retrocediendo hacia el pasado, en lugar de avanzar hacia el futuro, se fuera borrando, deshaciendo a sí mismo. Pero en "destejer" propiamente lo que se deshace es un espacio (el espacio formado por un tejido): la confusión o asimilación de ambas nociones queda, pues, bien clara [31]. La abolición del tiempo viene luego expresada por frases tan gráficas como ésta: "El futuro se llama ayer", o aún:

¡Retrocesos, en vértigo,
por dentro, hacia el mañana!

Retroceder hacia el mañana, es decir, retroceder hacia delante, ¿dónde se ha visto? [32]. Y el poema entra en su fase final:

---

[31] Un empleo también extraño del verbo "destejer" tenemos en estos versos:

Su reló
destejía calendarios...
(Voz, p. 135)

Pero aquí, aun existiendo la misma asimilación espacio-temporal, la idea difiere, en el sentido de que no se trata de un tiempo en retroceso. Lo que ocurre es que el calendario tiene menos hojas a medida que pasa el tiempo, y se las arrancamos. La asimilación de tiempo y espacio viene dada, entonces, porque se sustituye tiempo por *calendario* (espacio).

[32] Una imagen parecida a ésta, tenemos en los versos de otro poema:

Te sentirás hundir
despacio, hacia lo alto...
(Voz, p. 170)

Son aquí los límites espaciales, como allí los temporales, los que desaparecen. No hay arriba ni abajo.
Otro ejemplo aún: el amante se ve con la amada,

...hundiéndose
hacia arriba
con un gran peso de alas.
(Voz, p. 164)

¡Que caiga todo! Ya
lo siento apenas. Vamos,
a fuerza de besar,
inventando las ruinas
del mundo, de la mano
tú y yo
por entre el gran fracaso
de la flor y del orden.

La *flor* (tan poética, tan valiosa) es vista negativamente como símbolo de lo ordenado, lo delimitado, que el amor destruye. La mención
de los dos amantes *(tú* y *yo),* solos en un verso, confirma nuestra interpretación de la forma "Andas, ando". Sólo hay sitio —en el verso:
en la vida— para los pronombres y el lazo que los une.

Y ya siento entre tactos,
entre abrazos, tu piel,
que me entrega el retorno
al palpitar primero,
sin luz, antes del mundo,
total, sin forma, caos.

La palabra "caos", con que termina el poema, acumula, por así
decir, las valencias de las anteriores palabras de desastre: expresión
de un sentimiento, como dijimos, nada desastroso. Ese "retorno al
palpitar primero, sin luz, antes del mundo" es el término del "atrás",
que recuerda al "detrás de todo, como si fuese morir". El amante no
se contenta con menos que con una situación en que los adverbios
citados dejen de funcionar (por imposibilidad de ir más detrás o atrás).
Tiene que echar mano, entonces, de expresiones como "morir", "antes

---

Ese "gran peso de alas" es, evidentemente, una fusión de lo grávido (cuerpo) y lo ingrávido (alma). Salinas, que, unas veces, dice: "Busca pesos", y
tras parece decir: "Busca alas", resuelve, de tal modo, la aparente contradicción.

del mundo", en que la noción de espacio y tiempo ya no posea vigencia [33].

El mismo procedimiento de dotar a una palabra de un valor contrario al que normalmente tiene, aparece en otra visión paradisíaca:

> Extraviadamente
> amantes, por el mundo.
> ¡Amar! ¡Qué confusión
> sin par! ¡Cuántos errores!
>
> (Voz, p. 154)

Extraviadamente, confusión, errores, funcionan aquí como términos positivos, valiosos, si bien ello no se revela hasta más tarde, dejando al lector en una perplejidad, de la que el poema, como antes, extrae su mayor fuerza. *Extraviarse* es perder la vía, alejarse de ella, pero esta pérdida supone la ganancia de la vía verdadera (muy otra de la que existe, de las que existen en el mundo limitado y prosaico). De modo análogo, la *confusión* y los *errores* son, en realidad, aciertos. (El poema termina, en efecto, hablando de un amor "embriagado en la pura / gloria de su *acertar*".) Los versos que siguen lo explican claramente:

---

[33] Esta visión del amor como destrucción, muerte, que lleva a cabo una deslimitación del ser, coincide, como quizá se haya advertido, con la de otro poeta de la generación de Salinas: Vicente Aleixandre. A propósito del cual dice Bousoño: "Porque el amor es un acto de deslimitación que quebranta nuestros límites, absorbe nuestro yo y parece como que por un instante lo reincorpora a la naturaleza indivisible. El amor es entonces destrucción, sobrecogedor aniquilamiento de cada uno de los amantes que quieren ser el otro, enigma de una consumación en que la pareja busca unificarse rompiendo su fronteras" (*Ob. cit.,* p. 63).

Pero Aleixandre es un cantor de lo *elemental* o *natural,* y Salinas de lo *esencial.* Esto los distingue radicalmente. El amor que es destrucción, en Aleixandre, es el amor pasión, físico (el más elemental de todos); en Salinas es el amor espiritual. La deslimitación sólo se produce cuando llegamos al alma esencia del ser amado. Aquí está la fuente de sus distintos, originalísimos modos de poetizar. Los cuales coinciden, sin embargo, en el hecho de ver en el amor —en cuanto natural o en cuanto revelador del alma— la realidad más auténtica.

Besar rostros en vez
de máscaras amadas.

Esa es la *confusión* o *error* (acierto). El amor aniquila el mundo de
lo cotidiano, de las convenciones, y una de estas convenciones es lo
que corrientemente llamamos amor. Pero éste sólo surge de veras allí
donde se revela la intimidad de un ser, su alma: su "rostro". Si tal
no ocurre, sólo amamos una máscara (*un* amor, no *el* amor); es decir,
realmente no amamos: creemos sólo amar. Es entonces, claro, cuando nos confundimos.

Pero la palabra *confusión* puede aludir también (y también con
sentido valioso) a la fusión de cuanto existe; es decir, a una deslimitación, una enajenación. Pues esto es lo que ocurre en los versos siguientes:

Universo en equívocos:
minerales en flor,
bogando por el cielo,
sirenas y corales
en las nieves perpetuas,
y en el fondo del mar,
constelaciones ya,
fatigadas, las tránsfugas
de la gran noche huérfana,
donde mueren los buzos.

Confusión: abolición de los límites espaciales. Los minerales y
buzos bogan por el cielo, y las constelaciones se hunden en el fondo
del mar. Las cosas no están en *su* sitio (rigurosamente ordenadas y en-
simismadas). Adviértase, además, cómo se introducen esos prosaicos
buzos en un paisaje poético de sirenas y constelaciones. ¡Qué con-
usión!

Los límites temporales también se borran:

Los días y los besos
andan equivocados:
no acaban donde dicen.

Y otra vez, como se ve, el *equívoco* traduce un acierto: un deseo realizado.

Pasemos a otro poema:

Todo dice que sí.
Sí del cielo, lo azul,
y sí, lo azul del mar,
mares, cielos, azules
con espumas y brisas,
júbilos monosílabos
repiten sin parar.
Un sí contesta sí
a otro sí. Grandes diálogos
repetidos se oyen
por encima del mar
de mundo a mundo: sí.

(Voz, p. 149)

El *sí* suena repetidamente a lo largo de los versos, del mismo modo que, según se dice, suena en todas partes del mundo. Pero no sólo se repite el *sí*, sino también otras palabras (mar, cielo, azul). Esta última palabra (azul) se desplaza, además, de su engarce sintáctico normal (lo azul del cielo), y da un salto ("Sí del cielo, lo azul"). Lo *azul* como el *sí*, no se está quieto; va de aquí para allí. El desplazamiento destaca también la acentuación aguda —que es la acentuación del *sí*— al llevarla al fin del verso; no es el único caso (véanse también *mar* *parar*, y otros ejemplos en los versos que siguen). Hay como un claveteo insistente: tan insistente como el *sí* [34].

---

[34] Este procedimiento se alía con el de acentuación en vocal extrema (*i*, *u*) *azul, espumas, brisas, júbilos*... (además del *sí*, claro).

Podríamos aún hacer una observación sobre la palabra *monosílabos* ("júbilos monosílabos" : los síes). Es ésta una palabra grata al poeta. De la amada que se quería guardar en el espejo, decía : "Que quepa en *monosílabos*". Piénsese, por otra parte, en la frecuencia de los tales en su obra (*tú, yo, sí* y *no,* sobre todo). El poeta, enemigo de las palabras —pasajeras, como los cuerpos—, que ocultan la verdadera realidad, ama el silencio; pero ama también, y quizá más aún, porque el silencio está próximo a la nada, los monosílabos enterizos, duros. Ellos son más inflexibles, más resistentes. La energía que concentran es muy superior a la de otras palabras : toda la fuerza espiratoria y la carga semántica están allí, en un reducido núcleo. No parece fácil una disgregación [35].

Se leen por el aire
largos síes, relámpagos
de plumas de cigüeñas,
tan de nieve que caen,
copo a copo, cubriendo
la tierra de un enorme,
blanco sí. Es el gran día.

Esos "relámpagos", que los *síes* son, nos hacen pensar en el carácter instantáneo —aunque fuera del tiempo a la vez (presente absoluto)— del amor. "Eternidad : relámpago" (RA., p. 221). Pero también "relámpago" puede referirse a la iluminación súbita del mundo, que el amor produce. Lo sorprendente es que esos relámpagos son de *plumas de cigüeña* (!), plumas de nieve (es decir, entendemos, muy blancas), pero no, de nieve real, puesto que caen como copos, cu-

---

[35] La pista de esta significación de los monosílabos nos la dan, sobre todo, estos versos de otro poema :

Pero la frente es dura;
por detrás de la carne
está, rígida, eterna,
la respuesta inflexible,
monosílaba, el hueso.
(Voz, p. 189)

briendo la tierra de un enorme, blanco sí (!). ¡Qué versos! ¡Parecen gongorinos! Asistimos en ellos a una serie de metamorfosis poéticas verdaderamente extraordinarias [36]. Es, desde luego, el "gran día". El día que todo dice sí, y consiguientemente todo está en todo: todo es igualmente *sí* ("enorme sí"). Las barreras que separan los seres se borran. Es el caos del paraíso.

> Alma, pronto, a pedir,
> a aprovechar la máxima
> locura momentánea,
> a pedir esas cosas
> imposibles, pedidas,
> calladas, tantas veces,
> tanto tiempo, y que hoy
> pediremos a gritos.

Pedir, pedidas, pediremos. Las repeticiones, una vez más, expresan esa abundancia, esa locura: salirse de las casillas, romper los límites.

> Seguros por un día
> —hoy, nada más que hoy—

---

[36] Nos preguntamos si la *nieve* no supone, por sí sola, una fusión de lo grávido y lo ingrávido: algo que pesa y vuela, a la vez. En un poema de *Seguro azar (Los equívocos,* 13), citado por nosotros, se la veía como ingrávida:

> Geometría, nieve,
> ingrávidas queridas.

Pero ya allí decíamos que la geometría —a la que la nieve se asocia— era, a la vez, una abstracción y un modo de dar concreción (perfiles):

> El mundo es infinito,
> profusión de mentira.
> De verdad
> recta y curva no más.

Comentábamos: "La geometría, sí, con su sistema de rectas y curvas, impide que las cosas se volatilicen, se confundan, delimitándolas rigurosamente. Doble carácter, pues, este de la geometría, este de la nieve. Participan ambas, diríamos, tanto del alma como del cuerpo. Por eso, son tan queridas.

de que los "no" eran falsos,
apariencias, retrasos,
cortezas inocentes.
Y que estaba detrás,
despacio, madurándose,
al compás de este ansia
que lo pedía en vano,
la gran delicia: el sí.

El sí retrasa su aparición ("estaba detrás"), como otras veces vimos. Hay que ir quitando *apariencias, cortezas,* hasta llegar a dar con él.

EL AMOR COMO DESPEDIDA

Pero este último poema citado, aun recreando una visión gozosa, nos muestra bien lo efímero del gozo. "Locura *momentánea*". "Seguros por un día —hoy, nada más que hoy—." Sí, así es. El amor (el gozo que él conlleva) sólo dura un instante. Sólo un instante —eterno— dos seres se unen, se encuentran. Lo normal es estar separados: "Vivir, desde el principio, es separarse" (RA., p. 211). Precioso verso. Vamos a detenernos un poco en el poema en que se encuentra, porque en él Salinas llega a una definición original del amor. El amor como despedida:

¿Serás, amor,
un largo adiós que no se acaba?

Recuérdese que el "adiós", con significación unitiva y no separatoria, había aparecido ya en un poema de *Fábula y Signo (Los adioses,* 29). Quienes se dicen adiós están juntos, necesitan estarlo para poder decírselo. La separación es de después del adiós o de antes. *Un largo adiós que no se acaba* quiere decir, pues, un largo *encuentro* que no se acaba. Pero la sustitución de *encuentro* por *adiós,* indica claramente que el acento se pone en el hecho de despedirse, de tener que

separarse. Lo propio del amor, entonces, es prolongar —milagrosa-
mente— ese momento del encuentro: ese momento del adiós.

Véase ahora cómo, en correspondencia con la idea expresada, el
segundo verso se prolonga más allá del primero. La prolongación es
más notoria porque hay una rima en *o*, que cae, justamente, en la
cuarta sílaba, como en el primer verso. Se constituye así un pareado
tetrasílabo asonante, seguido de una coda:

> ¿Serás, amor,
> un largo adiós (que no se acaba)?

Prolongación métrica significativa en un poema que habla de la
prolongación del amor:

> Amor es el retraso milagroso
> de su término mismo:
> es prolongar el hecho mágico
> de que uno y uno sean dos, en contra
> de la primer condena de la vida.

Y el poema sigue:

> Con los besos,
> con la pena y el pecho se conquistan,
> en afanosas lides, entre gozos
> parecidos a juegos,
> días, tierras, espacios fabulosos,
> a la gran disyunción que está esperando,
> hermana de la muerte o muerte misma.

También aquí el segundo verso avanza, rebasa la medida del primero. De tal modo, se expresa el avance de la conquista: ese ganar
espacios. La separación del verbo de su complemento ("se conquistan...
días, tierras", etc.), traduce la separación real, que hay que abolir, así
como la dificultad de la conquista. Hay que luchar para lograrla: salen
obstáculos al paso. (No en vano el poeta emplea la palabra "lides").

La "gran disyunción", finalmente, es "hermana de la muerte o muerte misma". Pero esa disyunción —separación— es, para Salinas, la esencia del vivir (salvo los breves momentos de amor: estar juntos). Se ve, pues, la identidad de la vida —tal como normalmente transcurre— con la muerte. Identidad repetidamente señalada por nosotros.

Los versos finales resumen cuanto se lleva dicho:

> Si se estrechan las manos, si se abrazan,
> nunca es para apartarse,
> es porque el alma ciegamente siente
> que la forma posible de estar juntos
> es una despedida larga, clara.
> Y que lo más seguro es el adiós.

Insistimos: no sólo que los que se dicen adiós están juntos, sino que (y esto es lo típicamente saliniano) quienes están juntos, están diciéndose adiós. Es decir, preparándose para la separación, que es la norma en la vida. Los *adioses* (los encuentros) son sólo momentos en la situación normal del estar —vivir— separado.

Ahora entendemos los versos de otro poema:

> El sueño es una larga
> despedida de ti.
>
> (Voz, p. 161)

Despedida no quiere decir separación, sino todo lo contrario. Es el momento en que estamos despidiéndonos, y, por tanto, juntos aún (amándonos). Interpretación que confirman los versos siguientes (incomprensibles de otro modo):

> ¡Qué gran vida contigo,
> en pie, alerta en el sueño!

Resumen: no hay más que dos posibilidades. O despidiéndose (juntos) o despedidos (separados) [37].

Esta última, separación —ausencia—, que es como la muerte, ha sido comentada por Salinas en otro poema:

> Apenas te has marchado
> —o te has muerto—,
> pero yo ya te espero.
>
> (RA., p. 249)

La *o* es aquí identificativa. *Marcharse* es alejarse del amor, es decir, no vivir (estar muerto): puesto que vida y amor son lo mismo. Pero así como Salinas ve ya la separación en el encuentro (por eso *adiós*), en la separación o ausencia ve la presencia. La otra cara de la moneda siempre: el antitetismo básico.

> Ahora marchas, lo sé,
> a infinita distancia,
> pero laten tus pasos
> en todas esas vagas
> sombras de ruido, tenues,
> que en la alta noche estrellan
> el azul del silencio:
> todas suenan a ecos.

El contraste entre la vocal abierta *a* y las extremas cerradas *i, u,* vuelve a aparecer aquí. ¿No sugiere ese antitetismo señalado de ausencia y presencia: lucha de ésta por romper aquélla? El consonantismo, a base de *eses,* contribuye también, en gran medida, a la creación del clima fantasmal de la ausencia. Repárese en el delicado verso: "sombras de ruido, tenues". La *i* clava en él su punta inquietante, la

---

[37] Recordemos que *Los despedidos* es el título de un poema de *Segur azar* (46), comentado por nosotros. *Adioses sin adiós,* leíamos en él. O sea, decíamos, adioses plurales, rota la unidad del adiós.

erres lo estremecen, alterando aquel sigilo de *eses* —¿surgirá el cuerpo ausente?—, y la materia verbal se aprieta en esos dos diptongos (*ruido, tenues*): otra alteración del sosiego.

> Si es un rumor de ruedas,
> es que te traen los trenes,
> las alas o las nubes.

De nuevo la dualidad. La amada es cuerpo y alma. En cuanto cuerpo, la traerán los trenes; en cuanto alma, las alas o las nubes [38]. El juego de consonantes tiene, también aquí, valor expresivo: a las *erres* y grupos *tr* de los dos primeros versos, que nos sugieren el traqueteo de los trenes, se oponen las aladas *eles* y *eses* sigilosas de "las alas o las nubes". Sigamos:

> ...Si hojas
> secas, que empuja el viento,
> es que vienes despacio,
> andando, con un traje
> de seda, y que te cruje,
> sobre los tersos suelos
> de los aires, su cola.

Aquí la dualidad no se manifiesta tan perceptiblemente, pero puede vérsela también. El crujir material del traje de seda (subrayado fonéticamente por los grupos *tr, cr* y las *jotas*) contrasta con la levedad del aire por el que la amada —como un alma, un ave— se desliza. Añádase el contraste de *aes* (despacio, andando, aires) y *ues* (empuja,

---

[38] Recordemos:

> Nunca me iré de ti
> por el viento, en las velas,
> por el alma, cantando,
> ni por los trenes, no.
>
> (FyS., 10)

Con la misma asimilación de los *trenes* a cuerpos. También: "En trenes o en gacelas" (Voz, p. 138); asociación de lo prosaico, material (trenes) y lo poético, espiritual (gacelas).

cruje). Pero, en fin, la palabra "cola", ¿no encierra, ella sola ya, una doble alusión a lo terrestre, que se arrastra (cola de un traje) y a lo celeste, volador (cola de un pájaro: no se olvide que la amada viene por el aire)? Sería, entonces, un caso magnífico de doble sentido antitético.

El antitetismo (ausencia-presencia) se revela claramente en los versos finales:

> Se te vio en tu marchar
> al revés: tu venida,
> vibrante en el adiós.

Y esa vibración, de la que ya antes tuvimos pruebas, se trasmite ahora plenamente a los versos, mediante, otra vez, el estallido de *íes*, *úes* y grupos de consonante + *r*:

> Igual que vibra el alba
> en el gris, en el rosa,
> que pisando los cielos,
> con paso de crepúsculo,
> al acabar el día
> parecen —y son ella,
> la que viene, inminente—
> una luz que se va.

EL HACER FRENTE A LO HECHO (II)

Hemos visto que Salinas se representa el paraíso como un mundo virginal, intacto, que los amantes estrenan:

> ¡Qué gran víspera el mundo!
> No había nada hecho.
>
> (Voz, p. 144)

Tal es la situación que el amor consigue, a que el amor tiende.
Aniquilar todo lo que existe, lo *hecho* (como vimos en el poema *Amor,
amor, catástrofe...*), a fin de crearse ese otro mundo virginal. Mundo
sin tiempo ni espacio; eso quiere decir escapado de lo *hecho*. Lo hecho: lo que tiene límites. Frente a lo cual, el *hacer,* pone, deslimitán-
dolos, en contacto dos seres. Habíamos ya visto todo esto cuando estu-
diábamos los libros iniciales del poeta. Volvamos a verlo en un poema
que, con otro motivo, hemos comentado hace poco (*Extraviadamente...,* Voz, p. 154). Los amantes están llenos de alegría:

> De alegría purísima
> de no atinar, de hallarnos
> en umbrales, en bordes
> trémulos de victoria,
> sin ganas de ganar.

Porque ganar supondría entrar en un estado, es decir, en una cotidianeidad (con sus límites), y el amor es movimiento. La quietud, que
a veces expresan los versos de Salinas, es momentánea, y no nos permite descansar en ella. Hay que seguir, seguir siempre, si no queremos sumirnos en la monotonía gris de la vida. De lo *hecho.* El amante quiere ganar, naturalmente. Pero ganar es una lucha continua, no
un dormirse en los laureles de una victoria: tal es el sentido del
verso. La conquista no tiene fin.

> ¡Sí, todo con exceso:
> la luz, la vida, el mar! (...)
> A subir, a ascender
> de docenas a cientos,
> de cientos a millar,
> en una jubilosa
> repetición sin fin
> de tu amor, unidad.
> Tablas, plumas y máquinas,
> todo a multiplicar,

caricia por caricia,
abrazo por volcán.

(Voz, pp. 152-153)

Abrazo por volcán es un verso sorprendente en pura lógica. Pero la palabra "volcán" no es caprichosa. Un volcán es una montaña que se sale de sí misma (como la frase se sale de lo esperado). Todo ello cuadra bien con el sentido del poema: un canto a la enajenación. Es decir, a la deslimitación que el hacer lleva a cabo. *Hacer* entendido como repetición —sin fin— del amor. Como un amor que no se acaba, que aspira siempre a más:

> Que se rompan las cifras,
> sin poder calcular
> ni el tiempo ni los besos.
> Y al otro lado ya
> de cómputos, de sinos,
> entregarnos a ciegas
> —¡ exceso, qué penúltimo—
> a un gran fondo azaroso
> que irresistiblmente
> está
> cantándonos a gritos
> fúlgidos de futuro:
> "Eso no es nada, aún.
> Buscaos bien, hay más".

Ese "más" hay que entenderlo en un doble sentido: no sólo como más en el tiempo (repetición del amor, continuidad), sino también más en hondura. Movimiento constante en busca de la esencia de un ser: un ahondar que no se sacia. Eso es el amor.

Claro que el futuro, en que el amante vislumbra una coronación mayor de su amor, es también amenazante. Tanto puede darnos como quitarnos. Doble incitación, pues, para el amor (para su hacer).

Otro poema, también hace poco citado (*¿Serás, amor...,* RA.,
p. 211), nos muestra esta necesidad del *hacer* por temor a hundirse
en la nada. Léanse estos versos:

> Ni en el llegar, ni en el hallazgo
> tiene el amor su cima:
> es en la resistencia a separarse
> en donde se le siente,
> desnudo, altísimo, *temblando.*

Es en la resistencia a separarse: es en el *hacer* continuo donde
se siente al amor. No en el llegar, ni en el hallazgo (lo *hecho*). La
separación amenaza de todos lados, y con la separación el miedo a
caer en ella. *Amor en vilo* [39].

Comprendemos así esta representación de la dicha, que otro poema
nos brinda:

> ¿Cómo me vas a explicar,
> di, la dicha de esta tarde (...)
> si es pura dicha de nada?
> En nuestros ojos visiones,
> visiones y no miradas,
> no percibían tamaños,
> datos, colores, distancias.
>
> (RA., p. 253)

No percibían nada *hecho.* Las visiones, a diferencia de las miradas,
no suponen ningún término, ningún objeto en que posarse. Aluden,
simplemente, a la facultad de ver. Y diríamos, aplicando una terminología gramatical que ya en parecida ocasión utilizamos, que *ver* es
aquí imperfectivo, frente a *mirar*, que es perfectivo. Idéntica significación poseen los versos que siguen:

---

[39] *Amor en vilo* es el título que Salinas puso a los poemas de *La voz a ti
debida,* cuando aparecieron por primera vez. Podemos constatar ahora lo adecuado de ese título.

> Palabras sueltas, palabras (...)
> no eran ya signo de cosas,
> eran voces puras, voces
> de su servir olvidadas.

Las palabras no decían esto o aquello (no eran signo de esto o aquello). Eran sólo voces. Un decir por decir, sin objeto. Y véase que la repetición de *palabras* y *voces* sugiere este decir, que es como un lujo, una lujuria verbal, en que el alma estalla.

> ¡Cómo vagaron sin rumbo,
> y sin torpeza, caricias!
> Largos goces iniciados,
> caricias no terminadas...

Es decir, caricias sin término y goces sin término también (que se quedan en un *largo* inicio). El "sin término" lo es tanto en el tiempo como en el espacio:

> como si aún no se supiera
> en qué lugar de los cuerpos
> el acariciar se acaba...

Por todos lados la misma evasión de lo *hecho* para quedarse en el *hacer*. Eso es la dicha. Dicha de nada (hecho). Dicha sin límites: única que merece tal nombre.

En fin, la preferencia del *hacer* por lo *hecho*, explica también que el amante se desinterese por lo que la amada hace (lo *hecho* por la amada):

> Lanzas palabras veloces (...)
> No te atiendo, no las sigo:
> estoy mirando
> los labios donde nacieron.

> Miras de pronto a lo lejos (...)
> Yo no miro adonde miras:
> yo te estoy viendo mirar.
>
> (Voz, p. 169)

Estoy mirando, estoy viendo, tienen carácter imperfectivo, como muy de manifiesto lo pone la forma estar + gerundio. Y ese carácter imperfectivo (hacer), con que el amante se ve, quiere dar, en justa correspondencia, con el *hacer,* no con lo hecho, de la amada:

> En lo que no ha de pasar
> me quedo, en el puro acto
> de tu deseo, queriéndote.
> Y no quiero ya otra cosa
> más que verte a ti querer.

No querer esto o aquello, porque eso o aquello que tú quieres (que tú dices, que tú miras) varía con el tiempo, hoy es una cosa y mañana otra, sino querer (imperfectivo). El querer —o lo que es lo mismo, el hacer— es, entonces, el alma (una vez más). El manantial invariable de donde nacen los ríos de los variables *hechos* o amores. El amor (no un amor). Con él, con ese querer o hacer (sin fin) de la amada, es con quien quiere encontrarse, repetimos, el querer o hacer del amante.

LOS NOMBRES Y LOS PRONOMBRES

La contraposición del hacer y lo hecho puede ilustrarse ejemplarmente con las reacciones del poeta ante los nombres. Éstos, en cuanto designan las cosas, parecen dotarlas de límites, ceñirlas rigurosamente. Las cosas serían así algo ya dado, *hecho,* en virtud de su nombre. Lo que equivale a decir que, si pudieran escaparse de su nombre, se escaparían de lo *hecho.* Tal ocurre en un poema, cuyos dos primeros versos hemos citado hace poco:

> ¡Qué gran víspera el mundo!
> No había nada hecho (...)
> No, el pasado era nuestro:
> no tenía ni nombre.

> Podíamos llamarlo
> a nuestro gusto : estrella,
> colibrí, teorema,
> en vez de así, "pasado" :
> quitarle su veneno.

Curiosa manera de abolir el pasado (ser *nuestro* quiere decir ser presente, no pasado) por el medio de despojarlo de su nombre. Su nombre : su veneno.

Un poema de *La voz...* (*¿Por qué tienes nombre tú...*, p. 140) está enteramente dedicado a esta cuestión que nos ocupa. Su interpretación, tras lo dicho, creemos que no encierra ninguna dificultad. Citaremos únicamente la última estrofa :

> Nombre, ¡ qué puñal clavado
> en medio de un pecho cándido
> que sería nuestro siempre
> si no fuese por su nombre!

Si no fuese por *su* nombre, si no fuese por lo "hecho", todo sería *nuestro*, como en el "hacer". Es el nombre, como la "hechura", lo que desvincula un ser de nosotros.

Otro poema :

> ¿Tú sabes lo que eres
> de mí?
> ¿Sabes tú el nombre?
>
>   No es
> el que todos te llaman,
> esa palabra usada
> que se dicen las gentes,
> si besan o se quieren,
> porque ya se lo han dicho
> otros que se besaron.
>
>   (RA., p. 222)

El nombre, además de limitar un ser al designarlo, lo introduce en una cotidianeidad (realmente, limitación y cotidianeidad son dos aspectos de lo mismo, como tantas veces vimos). El "se dicen" o "se quieren" nos sume, en efecto, en esa esfera de lo cotidiano (mundo de la prosa, de "todos")[40]. Sólo hay un medio de salir de ella, sin renunciar al nombre. Convertir éste en un nombre nuevo, distinto al de los "otros". Pero nuevo, además, en cada momento; nuevo incluso para el amante que lo dice. No ya algo *hecho*, por tanto:

> Yo no lo sé, lo digo,
> se me asoma a los labios
> como una aurora virgen
> de la que no soy dueño.
> Tú tampoco lo sabes (...)
> ¿Son letras, son sonidos?
> Es mucho más antiguo.
> Lengua de paraíso,
> sones primeros, vírgenes
> tanteos de los labios,
> cuando, antes de los números,
> en el aire del mundo
> se estrenaban los nombres
> de los gozos primeros.

Paraíso. Mundo virginal. Mundo de lo no hecho. Los nombres ahí no tienen nada que ver con los nombres de nuestro mundo[41].

> Que se olvidaban luego
> para llamarlo todo

---

[40] Recordemos aquel verso: "No en tu nombre, si lo dicen [te busco]" (*Voz*, p. 134), donde aparece la misma asimilación del nombre a lo social. El nombre como producto social, de que las *gentes* se valen.

[41] Repárese, otra vez aún, en la reiteración de vocales extremas acentuadas (paraíso, vírgenes, números, mundo). Otra vez las vocales más infrecuentes en la economía del idioma suben a un primer término. El paraíso se destaca así. Los esdrújulos (vírgenes, números), también infrecuentes en relación con la gran masa de palabras llanas, están en la misma cadena de sugestión.

de otro modo al hacerlo
otra vez : nuevo son
para el júbilo nuevo.

Es un *hacer* constante. Lo hecho se deshace, para hacerlo otra vez.
Las repeticiones (otro... otro, nuevo... nuevo) expresan bien este proceso.

Otro poema insistirá en esa misma idea de separación del nombre
de la amada (que el amante sólo acierta a decir) del nombre que le
llaman los demás :

> No se escribe tu nombre
> donde se escribe, con lo que se escribe.
> En las aguas escribe
> con verde rasgo el árbol.
> En el aire las máquinas
> improvisan nocturnos,
> tocan su seca música
> de alfabeto romántico.
> En los cielos abiertos
> van trazando los pájaros
> códigos de los vuelos.
> Tu nombre no se escribe
> donde se escribe, con lo que se escribe.
>
> (RA., p. 238)

Este poema es interesante. Los ejemplos que Salinas cita de cosas
que, contrariamente al nombre de la amada, se escriben donde se escribe y con lo que se escribe, no nos dejan indiferentes. En todos ello
asistimos a una fusión de los dos opuestos, cuerpo y alma. Veamos
La *escritura* del árbol tiembla en las aguas : temblor de alma, como
otras veces vimos. Cuerpo animado, pues. En igual sentido, las "má
quinas", símbolo máximo del mundo material, tocan música (es deci
algo que procede del espíritu). Música de "alfabeto romántico" (con
traposición expresiva, aquí también, de lo prosaico —alfabeto— y l

poético —romántico—). Los pájaros, a su vez, trazan "códigos" (libros
—cuerpos—; muy *pesados* además) de los vuelos (alados, como el
alma).

De lo que se escribe se pasa a lo que se lee:

> Las estrellas se leen
> con largas lentes claras
> que descifran su tedio
> de enigmas alejados.
> Las tierras más remotas,
> con colores azules,
> verdes, rosas, entregan
> su secreto en los mapas.
> Y el pasado se ve
> tan escrito en los ojos,
> que mirar a alguien bien
> es elegía o cántico
> que brotan del azul,
> del verde, de lo negro.
> Tu nombre no se lee
> donde se lee, con lo que se lee.

Los "enigmas" (almas) de las estrellas se descifran, se hacen vi-
ibles como cuerpos, mediante largas lentes. También lo remoto se
hace cercano, y entrega su secreto (alma) en los mapas (cuerpos). Es
un proceso parecido al que acontece en la "bola del mundo" (que
llamaba la atención del poeta, como vimos). La bola del mundo es
ahora la carta —o las cartas— del mundo. Sentido positivo del *mapa*,
que vimos ya en el poema *La forma de querer tú...* (Voz, p. 173). En
fin, en el último ejemplo, obras del espíritu, como la poesía ("elegía
cántico") brotan de los cuerpos (colores).

Se llega así a los versos finales:

> La aurora borra noches,
> el mediodía auroras (...)

El tiempo borra al tiempo,
queda sólo un gran blanco.
Pero tu nombre, ¿quién,
dime, quién va a borrarlo,
si en nada se le lee,
si no lo ha escrito nadie,
como lo digo yo,
como lo voy callando?

También en el nombre de la amada (no escrito), que el amante sólo dice (o calla), se revela el alma. No es sólo un nombre material, como el que le llaman todos [42]. Nadie, por eso, puede leerlo ni borrarlo; salvado así del tiempo, lo mismo que el amor se salva. El "como" de la comparación pone de manifiesto esa diferencia entre el amante y los demás. Sólo él dice el nombre, sólo a él se le revela el alma. Esta *exclusividad* creemos que la destaca también el contraste con los versos anteriores. Versos que, acabamos de ver, son, más que una contraposición, una preparación de los finales. En todos se produce una revelación del alma en un cuerpo [43]. La única contraposición es ésta: las revelaciones de antes ocurrían ante todos, no en la reducida esfera de dos. *Las estrellas se leen* o *el pasado se ve* son oraciones de sujeto agente colectivo (tácito). Ahora, en cambio, se destaca el *yo* singular, para quien, exclusivamente, acontece el hecho prodigioso.

Pero hay otro medio de liberarse de los nombres, sin recurrir a un nombre unipersonal y renovado constantemente, y es recurrir a lo

---

[42] Al poema anterior pertenecen estos versos, que no citamos entonces

En ese paraíso
de los tiempos del *alma,*
allí, en el más antiguo,
es donde está tu nombre.

[43] Podríamos pensar que el deseo de fundir cuerpo y alma está tan arraigado en Salinas que se manifiesta —inconscientemente— aun sin quererlo poeta. Su estilo imaginativo traduciría, entonces, tendencias más profundas que las de la simple mente.

pronombres. Es esta de nombres y pronombres una ingeniosa representación saliniana. Los pronombres son, para el poeta, lo que está por debajo de los nombres. En nuestra terminología, el alma: lo más íntimo de un ser. Llegar a los pronombres es, por tanto, el más hondo deseo:

> Para vivir no quiero
> islas, palacios, torres.
> ¡Qué alegría más alta:
> vivir en los pronombres!
>
> (Voz, p. 146)

Se rechazan cosas tan valiosas como las islas, palacios y torres, porque no tienen realidad anímica; son sólo cuerpo, como los nombres. El poema, en su continuación, hablará del despojamiento, no sólo de los nombres, sino de todo lo superpuesto (trajes, señas, rótulos...), que los amantes deben efectuar para llegar a dar con los pronombres: *tú* y *yo*. Fondo último e irreductible de los dos personajes:

> Te quiero pura, libre,
> irreductible: tú.
>
> "Yo te quiero, soy yo."

Los amantes, diríamos, tienen una realidad nominal y otra pronominal (como tienen un cuerpo y un alma). Desdoblamiento representado a veces tan plásticamente que se sustituye por una dualidad de personas lo que es una dualidad en un solo ser. Tal ocurre en este poema:

> Se te está viendo la otra.
> Se parece a ti (...)
> Cuando vayáis por la calle
> juntas, las dos,
> ¡qué difícil el saber
> quién eres, quién no eres tú!
>
> (Voz, p. 185)

Tú, por supuesto, eres la amada verdadera (pronominal). La *otra*
es una falsa tú; amada corporal (nominal) sólo. El amante tiene miedo, entonces, de que esta última ocupe toda la plaza de la mujer. Es
decir, de que la amada auténtica no se revele:

> Tan iguales ya, que sea
> imposible vivir más
> así, siendo tan iguales.
> Y como tú eres la frágil,
> la apenas siendo, tiernísima,
> tú tienes que ser la muerta.
> Tú dejarás que te mate,
> que siga viviendo ella,
> embustera, falsa tú...

¡Con qué impresionante dramatismo se configura la idea! Nos
acordamos de aquel poema de *Fábula y Signo* (*La otra*, 3), donde lo
que aquí se presenta como crimen, se presentaba como suicidio. La
amada nominal (*la otra*: allí como aquí) decidía darse muerte; es decir, dar muerte a la amada pronominal (íntima). Esconder su intimidad, su alma, negándose así al amor. Lo mismo que ocurre ahora. Los
versos finales, sobriamente bellos, expresarán la consecuencia de tal
hecho:

> Y vendrá un día
> —porque vendrá, sí, vendrá—
> en que al mirarme a los ojos
> tú veas
> que pienso en ella y la quiero:
> tú veas que no eres tú.

Donde se expresa claramente el distanciamiento de la amada de s
misma: de su alma (su *tú*).

El pronombre (*tú*), como representante de la personalidad íntim
de la amada, a que el amante tiende, vuelve a aparecer en esto
versos:

Al decirte a ti: "única",
no es porque no haya otras
rosas junto a las rosas,
olivas muchas en el árbol, no.
Es porque te vi sólo
al verte a ti. Porque te veo ahora
mientras no te me quites del amor.
Porque no te veré ya nunca más
el día que te vayas,
tú.

(RA., pp. 241-242)

Estos versos parecen de una redundancia innecesaria. Pero se entienden si pensamos que hay dos *tú* aludidos, de los cuales sólo el segundo se refiere a la amada verdadera (pronominal), mientras que el primero se refiere a la amada sólo corporal (nominal), como una persona más cualquiera. No única, pues. Es decir, interpretamos: *Es porque te vi sólo* (mujer) *al verte a ti* (tal como eres: *tú*, tu alma). Antes, aunque estabas en el mundo y yo quizá te veía, era como si no te viera. Te veía sólo con los ojos del cuerpo, no con los del alma, que el amor hace surgir. *Porque no te veré ya nunca más* (mujer) *el día que te vayas, tú*. O sea, el día que dejes de amarme, que *te me quites del amor*. Eso es lo que significa "irse". *Tú*, sólo en un verso —el último—, se refiere, y de ahí su posición prominente, al tú esencial. El día que ese *tú* desaparezca —es decir, el día que desaparezca el amor que lo reveló—, tú, mujer, es como si dejaras de existir. Serás una oliva más del árbol de la vida.

MAX SCHELER Y SALINAS

Veamos, ahora, este poema:

Perdóname por ir así buscándote
tan torpemente, dentro
de ti.

> Perdóname el dolor, alguna vez.
> Es que quiero sacar
> de ti tu mejor tú.
>
>   (Voz, p. 175)

Nos es familiar el sentido de estos versos. Sólo una variación en el vocabulario puede chocarnos. Lo que hemos estado llamando alma o esencia o, últimamente, pronombre (tú), es ahora "tu mejor tú". La precisión es importante. Si la búsqueda del alma lo es del "mejor tú" de otro ser, y en esa búsqueda, como sabemos, consiste el amor para Salinas, advertimos el paralelo que su pensamiento guarda con el del filósofo alemán Max Scheler. Escribe éste: "El amor sólo existe allí donde al valor dado ya en él 'como real' se añade aún el *movimiento,* la intención hacia valores todavía posibles y 'más altos'... Justamente en este hecho de que el amor sea un movimiento en la dirección del 'ser-más-alto del valor' estriba su significación creadora" [44].

Lo interesante, respecto del poema que nos ocupa ahora, es que Salinas se ha representado ese "ser más alto" de que habla Scheler, esa altitud espiritual de "tu mejor tú", en términos de altitud física. La visión integradora —de lo espiritual y material—, que es básica en la poesía de Salinas, se trasmite, una vez más, a sus procedimientos

---

[44] Max Scheler, *Esencia y formas de la simpatía* (Trad. de José Gaos), Ed. Losada, Buenos Aires, 1950, pp. 213 y 214.
El paralelo Salinas-Scheler ha sido señalado por Julieta Gómez Paz: "El amor en la poesía de P. S." (en *Buenos Aires Literaria,* n. 13, octubre 1953, pp. 55-68) y Horst Baader, *P. S. Studien zu seinem dichterischen und kritischen Werk,* Romanisches Seminar der Universität Köln, 1955, pp. 198-201.
También Jorge Guillén, aunque sin mencionar a Scheler, establece la hermandad del poeta y el filósofo, con estas palabras: "El ahondamiento espiritual, eso sí, orientará los afanes del poeta. ¿Cómo? Trascendida la persona de la amada anterior a quien es ella para el amante, la amada —ya sin nombre— se convierte en un Tú que insinúa su misterioso Más Allá. El amor habrá de buscarlo como si luchase, y no contra la amada sino en pro de la amada, hacia la mejor amada" (*Ob. cit.,* p. 13). Apretadas líneas de certera puntería.

expresivos (sugeridores entonces de aquella visión). Lo que es una
idea ("tu mejor tú") queda visto materializado:

> Es que quiero sacar
> de ti tu mejor tú.
> Ese que no te viste y que yo veo,
> nadador por tu fondo, preciosísimo.
> Y cogerlo
> y tenerlo yo en alto como tiene
> el árbol la luz última
> que le ha encontrado al sol.
> Y entonces tú
> en su busca vendrías, a lo alto.
> Para llegar a él
> subida sobre ti, como te quiero,
> tocando ya tan sólo a tu pasado
> con las puntas rosadas de tus pies,
> en tensión todo el cuerpo, ya ascendiendo
> de ti a ti misma.

Lo que es un ascenso, una conquista espiritual (del "mejor tú" de
la amada) se representa como un ascenso y una conquista materiales.
Para ello es preciso sacar ese "mejor tú" del fondo en donde está —es
el amante quien se encarga de hacerlo—, y ponerlo en lo alto. En
una altura física. La imagen, tan visual, del árbol y la luz, insiste en
la materialización, e igualmente la imagen del pasado que la mujer
toca con las "puntas rosadas de los pies". El pasado también se ma-
terializa: no se lo toca en un sentido figurado, sino con las puntas
—*rosadas* además— de los pies [45].

---

[45] La palabra *alto*, en función adjetiva o adverbial, es muy empleada por
Salinas en sus versos. Ya habíamos señalado aquel *"alta*, pálida y triste"
(Voz, p. 143). He aquí otros ejemplos: "estás *alta*, ¡qué arriba!" (Voz, p. 184),
"en lo más *alto* del beso" (Voz, p. 165), "desnudo, *altísimo*, temblando" (RA.,
p. 211), "en la *alta* madrugada" (RA., p. 212), "en la *alta* noche" (RA., p. 226).
Ejemplos todos que aluden a localizaciones del ser verdadero (el "ser más al-

> Y que a mi amor entonces le conteste
> la nueva criatura que tú eras.

Detengámonos en este verso último. No se nos dice "que tú eres", en presente, como parece que lo exige la frase: un tiempo presente, ya que la *"nueva* criatura" surge *ahora* (por eso es *nueva).* El poeta, sin embargo, emplea un tiempo pasado: la *nueva* criatura que tú *eras* ya. En este desajuste gramatical se filtra, a las claras, su pensamiento. La visión del amor es conducir a la amada desde su tú normal a su "mejor tú" (no a *otro tú),* haciendo visible lo que era trasvisible. Algo que, de otro modo, hemos venido enunciando desde el principio. El *alma* o *esencia* de la amada es inseparable de su cuerpo o existencia (no reside en ningún lugar aparte).

El paralelo con el pensamiento de Max Scheler quedará bien demostrado con citar estos párrafos suyos, que pueden leerse a continuación de los anteriores: "Esto [la significación creadora del amor] no quiere decir que el amor cree los valores mismos o el ser-más alto de los valores...". La tesis, pues, "el amor se dirige a los objetos 'tales como son' es sin duda justa (...) Tan sólo no debe tomarse erróneamente este 'tales como son'; no debe equipararse con 'amamos los objetos con los valores que sentimos en ellos', 'o a través de estos valores los objetos'. Pues precisamente esta interpretación quita al amor el carácter de movimiento que sin disputa le es inherente. El 'ser' de que aquí se trata es precisamente aquel 'ser ideal' de ellos que ni es

---

to"). Por tanto, con el mismo desplazamiento, ya observado, de lo síquico a lo físico.

Leo Spitzer, en su estudio citado, advirtió —en lo que al poema *Perdóname...* se refiere— este procedimiento, aunque sin notar la profunda relación en que está con toda la poesía de Salinas: "La ascensión moral está vista en el espacio y el lugar, como una asunción de la Virgen en un cuadro de Murillo o del Greco, con una intensidad de vida corporal y —¡verdaderamente!— con un 'realismo' que hace de las aspiraciones metafísicas cosas reales, *res,* localizadas en el espacio. En esta poesía, las preposiciones son tan importantes como los verbos, que traducen *el buscar* por movimientos corporales *(sacar- coger- tener,* o, por otra parte, *subir- tocar- tensión- ascender)"* (*Ob. cit.,* página 253).

un ser empírico-existencial, ni un 'deber ser', sino un *tercer* ser, indiferente aún a *esta* distinción. El mismo 'ser', por ejemplo, que se encuentra en la frase 'llega a ser quien eres', que quiere decir algo distinto de 'deber ser tal y cual', pero también algo distinto del 'ser empírico-existencial' " [46].

Tenemos ya más que datos suficientes para criticar, como habíamos prometido, la tesis de Leo Spitzer: "Cosa curiosa —dice éste— *hasta la mujer amada* es negada por nuestro poeta; no conozco poesía de amor donde la pareja amorosa se reduzca hasta tal punto al yo del poeta, donde la mujer amada sólo viva en función del espíritu del hombre y no sea más que un 'fenómeno de conciencia' de éste (...) Si la realidad de la mujer no debe ser buscada ni en su imagen exterior, ni en su alma [Spitzer se refiere aquí al poema *Sí, por detrás de las gentes...*, Voz, p. 134] (...), sino en el *más allá*, el *detrás de todo* que es como la muerte, resulta que esa realidad no se asienta verdaderamente más que en la especulación metafísica del poeta mismo" [47].

No, la *mujer amada* no es negada por el poeta: lo que se niega es la amada corporal, existencial (meramente existencial). Pero no la esencial, que es también la mujer amada, no una amada *utópica* —como cree Spitzer—, que se asienta sólo en la especulación del poeta. En absoluto. La realidad verdadera de la mujer amada —muy otra de su realidad corporal—, que Salinas busca ciertamente en el *más allá*, el *detrás de todo*, está dentro de ella, no dentro de él: es ella misma (puesto que la esencia es inseparable de la existencia). *Detrás*, *más allá* es igual a "dentro de ti": *tú*. Spitzer agota toda la realidad de la amada en la empírico-existencial y confunde la amada esencial con una amada completamente síquica (un "fenómeno de conciencia"). La doble realidad de la mujer es sustituida por Spitzer, por la ecuación real-ideal. Así, cuando se encuentra con estos versos: "Lo que eres / me distrae de lo que dices" (Voz, p. 169), cuya interpretación para

---

[46] *Ob. cit.*, pp. 214 y 220.
[47] *Ob. cit.*, pp. 234-235.

nosotros es: lo que eres (realidad auténtica: "tú" = tu mejor tú) me
distrae de lo que dices (realidad aparencial: falsa tú), Spitzer comenta: "el ser concreto de la mujer viene a distraer al poeta, es un impedimento. *(Lo que eres - me distrae de lo que dices,* parece decir lo
contrario, pero *lo que eres* es lo que piensa de ella el poeta; la esencia
de ese ser se identifica con el cómo el poeta lo concibe en el *más
allá)"* (p. 236). Es decir: lo que eres *(ser ideal:* lo que yo pienso
de ti) me distrae de lo que dices *(ser real).* Interpretación que no
compartimos: *lo que eres* no es lo que yo pienso de ti, sino lo que
eres en realidad (auténtica, distinta de la aparencial) [48].

Es este desdoblamiento que se establece en el interior de un ser,
el que permite que entendamos unos versos como éstos:

> A ti sólo se llega
> por ti.
>
> (Voz, p. 193)

Es decir: a ti (tu mejor tú, tu alma) sólo se llega por ti (tu cuerpo
presente, porque es él quien contiene esa alma o *mejor tú).* O también: A ti (tu mejor tú) sólo se llega por ti (tu amor), que lo descubre.

Entendemos también ahora que si el alma de la amada —que el
amor descubre— se identifica con su *mejor tú,* desear su amor no es
sólo desear para uno, sino también para ella. Como se dice en estos
versos:

> Porque tu entrega es
> reconquista de ti,
> vuelta hacia dentro, aumento.

---

[48] Horst Baader ha criticado también la interpretación de Spitzer y, con
ella, todas las que pretenden amputar a la poesía de Salinas una de sus partes
esenciales: "die Kontroverse zwischen den Kritikern, die die "amada" auf
ihre Konkretheit einer seits und die, welche sie auf ihre Existenz als "Concepto" andererseits festlegen wollen, weder zu Gunsten der ersteren noch der
letzteren entschieden werden kann. Beide Interpretationen treffen einen Teil
der Wahrheit, die sich nur ganz demjenigen zeigt, der die Meinung der einen
mit denen der anderen zu kombinieren und als Antinomie zu sehen versteht"
(Ob. cit., p. 159).

> Por eso
> pedirte que me quieras
> es pedir para ti;
> es decirte que vivas...
>
> (Voz, p. 173)

Este verso último ya no tiene que ver con Scheler. El amor (que descubre el "mejor tú") es la vida. La única vida que merece tal nombre. Aunque podría verse una relación con el filósofo en la identificación que éste hacía del *ser* del amor (el "ser más alto") con el "ser que se es", si pensamos que sólo este último existe plenamente. Claro que, cuanto se dice de la amada, que por medio del amor alcanza su "mejor tú", puede referirse al amante. Un poema de "Razón de amor" lo ha expresado bien:

> Ellos. ¿Lo ves, di, los sientes?
> Están hechos de nosotros,
> nosotros son, pero más (...)
> ellos
> somos nosotros queriéndonos,
> queriendo tu más, mi más.
>
> (RA., p. 259)

Ellos son respecto de *nosotros* lo que *tú* (tu mejor tú) eres respecto ti. Algo que está dentro, no fuera. Vivir en *ellos* es vivir en los ronombres; es decir, en el amor. Nosotros, queriéndonos. Pero lo aracterístico, en términos de expresión poética, es que ese desdoblaiento de la personalidad se represente —y no es la primera vez— or una dualidad de personas. ¿No responde ello también al anhelo e concreción, de dar a las ideas consistencia física?

En fin, el alma (de la que el "mejor tú" o "el amor" son sinóni-os), también aparecerá con la significación que ahora estamos vien-. Es decir, con la significación de otro *tú* (tú verdadero):

¡Cuántos años
has estado fingiendo, tú, la oculta,
ser la aparente hija
del mundo, de tus padres, de la tierra
en donde nació el tallo de tu voz!
(...) Tu cuerpo mismo
se figuraron que labrado estaba
con la materna leche, por el tiempo,
con el crecer, por exteriores leyes,
y vestido
por las sedas que pintan otras manos.

(RA., p. 235)

La vinculación social de esa *falsa tú* queda bien clara. Pertenece al
mundo de la prosa, ajeno al amor —al ser *íntimo*, es decir, *único*—:
"*exteriores* leyes"... "*otras* manos"... "se figuraron" (los *otros*, los
demás). Las enumeraciones ("del mundo, de tus padres, de la tierra",
"con la materna leche, por el tiempo, / con el crecer, por exteriores
leyes"), con la acumulación de preposiciones (*de, con, por*), introduc-
toras cada una de un término, en cadena, acentúan esa sensación de
monotonía del mundo, que se repite aburridamente.

Pero un día en la frente,
en el pecho, en los labios,
metal ardiente, óleos, palabras encendidas
te tocaron y ahora
por fin te llamas tú.
Coronada de ti, de ti vestida,
lo que te cubre el alma que tú eras
no es ya la carne aquella, don paterno,
ni los trajes venales, ni la edad.

El alma que tú eras. Tiempo pasado, como en "la nueva criatur[a]
que tú eras". La nueva amada —amada verdadera (alma)— existía y[a]
en la antigua, aunque no se hace presente sino ahora. *Metal ardient[e]*

óleos, palabras encendidas: materia inflamada todo, que está puesta
ahí para crear la presencia del cuerpo animado. Fúlgido edificio.

> ...Y ya no debes
> nada —estás sin pasado—
> a la tierra, o al mundo, o a otros seres.
> Si acaso besa agradecidamente
> en los labios del aire de esta noche
> —suelo de trébol, techo de luceros—
> a la que te ha guiado, misteriosa
> potencia del amor, hasta ti misma,
> para que al fin pudieses ser tu alma.

Tu alma = tu mejor tú, que el amor revela.

LA LIBERTAD. EL RITMO

Pero Salinas coincide con Scheler en otro punto capital: la libertad del amor, es decir, de los seres que se aman. Éstos se entregan uno
a otro libremente. Escribe Scheler: "Este dar y tomar la libertad, la
independencia, la individualidad es esencial al "amor" [49]. Trátase, en
realidad, de una consecuencia obligada de la idea que del amor se
forja el filósofo. Si el amor es un movimiento hacia la intimidad ("ser
más alto") de un ser, en ninguna parte se revela ésta mejor que en su
libertad. Libre de toda atadura extraña, el ser accede a lo más hondo,
o más auténtico de sí mismo. Llega a ser el que es" [50].

Esta idea de Scheler la encontramos en Salinas con la versión poética que le es personal. Vamos a verlo en dos poemas —que tienen
como tema exclusivo la libertad de la amada—, y que nos interesan
también como muestra de un procedimiento hasta ahora apenas no-
tado: el ritmo.

---

[49] *Ob. cit.*, p. 100.
[50] Acordémonos del poema de Salinas, acabado de citar, en que la amada
deja de ser hija de sus padres, de la tierra, etc. —se libera de toda depen-
dencia—, para ser ella misma (su alma).

> A ésa, a la que yo quiero,
> no es a la que se da rindiéndose,
> a la que se entrega cayendo
> de fatiga, de peso muerto,
> como el agua por ley de lluvia,
> hacia abajo, presa segura
> de la tumba vaga del suelo.
>
> (RA., p. 226)

Esta amada que se entrega dócilmente, sin pena ni gloria, va a contraponerse —luego veremos— a la amada cuya entrega se realiza desde su libertad. La "fatiga" no saca a la mujer del mundo de la prosa (de la "vida-muerte"); la recluye en su ser corporal, impidiéndole el arribo a lo más íntimo de ella misma. El ritmo de los versos traduce esa sensación de fatiga. El primero (*A ésa, a la que yo quiero*) es un verso de difícil clasificación. Probablemente se trata de un heptasílabo (al que Salinas es tan aficionado). La doble sinalefa de las sílabas iniciales parece, en efecto, lo más normal. Sólo violentando el verso, podríamos leerlo como un eneasílabo, para ajustar su medida a la de los que siguen. Respecto a éstos, notamos que los dos primeros carecen del acento en 2.ª, 3.ª ó 4.ª sílaba, que les es característico[51]. Hay así una grave depresión acentual; el verso pierde apoyo y se arrastra desmayado —como sin vida— en su primera mitad (hasta encontrar el acento de la 6.ª y 5.ª sílabas):

> no es a la que se da rindiéndose,
> a la que se entrega cayendo...

Son versos torpes, moribundos, como la mujer que se da. (Y véase que la sensación de fatiga viene dada también por la rima monótona en *e-o*, que afecta a los versos 1.º, 3.º y 4.º). Sólo a partir del verso cuarto encontramos un ritmo canónico: el que Navarro llama eneasí

---

[51] Seguimos, para todas estas cuestiones del ritmo, el libro de Tomás Navarro, *Métrica española*, Syracuse University Press, Syracuse, New York, 1956.

labo mixto (con acentos en 3.ª, 5.ª ó 6.ª y 8.ª sílabas). A este ritmo se someten cuatro versos; los dos primeros con acento secundario en 6.ª, los otros dos en 5.ª:

> de fatiga, de peso muerto,
> como el agua por ley de lluvia,
> hacia abajo, presa segura
> de la tumba vaga del suelo.

Ley de lluvia: ley del ritmo. Un movimiento fatal domina el verso, como domina a esa amada que se rinde sin lucha. Verso —mujer— rendido, entregado. La doble rima (*e-o, u-a*) tiene la misma función. La rima es también una ley: algo coercitivo. El verso viene a parar a ella como la lluvia al suelo; como la mujer.

A partir de aquí, comienza una segunda fase del poema:

> A ésa, a la que yo quiero,
> es a la que se entrega venciendo,
> venciéndose,
> desde su libertad saltando
> por el ímpetu de la gana,
> de la gana de amor, surtida,
> surtidor o garza volante
> o disparada —la saeta—
> sobre su pena victoriosa,
> hacia arriba, ganando el cielo.

Lo que era caída, en la primera parte, es ahora ascensión. Ascensión como símbolo de la trascendencia que el amor (acceso al ser íntimo) consigue. El verso inicial (*A ésa, a la que yo quiero*) se repite, seguido de un decasílabo y de un trisílabo, para recuperar luego su medida de antes. Este repliegue del verso "venciéndose" nos da la sensación de un repliegue de fuerzas, que la amada hace para saltar desde sí misma ("desde su libertad"). La forma refleja, por su parte, retuerce el gerundio y lo vuelve sobre el sujeto: hay una doble idea

de contorsión y de retirada hacia dentro (hacia la fuente originaria del
ser). La frase, además, de una extensión desmesurada, plagada de in-
cisos y repeticiones, traduce admirablemente ese esfuerzo y dificultad
en lograr la victoria. En llegar a su fin. Las repeticiones (*gana, gana,
ganando; surtida, surtidor*) muestran casos análogos de retorcimiento
—esfuerzo— al del gerundio antes visto. Llama la atención, sobre todo, la palabra "surtida", tan extraordinariamente plástica. *Surtida* se
dice del agua que brota hacia arriba. Es así como la amada surge. Pero
no sólo "surtida", sino también "surtidor": con insistencia, nos parece, en lo activo —libérrimo— de la amada. Las *erres* trabantes, finalmente, subrayan (del lado fonético) la idea de retorsión: "surtidor
o garza volante". Pero la palabra "volante" nos lleva ya a los cielos
del vuelo alzado. El verso que sigue:

> o disparada —la saeta—,

recorrido casi totalmente por la vocal *a* (y con el fuerte hiato *ae*), es
un verso alado, ascendente. Añádase aún la presencia de los guiones,
que, como otras veces, nos trasportan a un "más allá": a un mundo
aparte.

El estudio del ritmo ofrece también interés. En este verso, y en
el siguiente:

> sobre su pena victoriosa,

aparece un ritmo trocaico (con acentos en 4.ª y 8.ª y apoyo secundario
en 6.ª), que rompe el ritmo anterior mixto, que es el básico del poema [52]. El aquietamiento de la victoria, tras el esfuerzo por lograrla, se
representa por un ritmo lento, sosegado [53].

---

[52] El ritmo es trocaico de acuerdo con la opinión de Navarro. Éste, que
simplifica extraordinariamente una complicada cuestión, distingue dos tipos sólo
de ritmo: trocaico (óo) y dactílico (óoo). El período puede ser uniformemente
trocaico, dactílico o mixto. "La medida del verso se cuenta desde su primera
sílaba; la del período desde su primer acento rítmico. Las cláusulas yámbicas,
oó, anapésticas, ooó, y anfibráquicas, oóo, consideradas teóricamente en la representación gramatical del verso, carecen de papel efectivo en el ritmo oral.

He aquí, ahora, el otro poema:

> Dame tu libertad.
> No quiero tu fatiga,
> no, ni tus hojas secas,
> tu sueño, ojos cerrados.
>
> (RA., p. 251)

Fatiga, como antes, contrapuesta a la libertad. Y a esa idea de fatiga se adapta ejemplarmente el ritmo que, salvo en el primer verso, es uniformemente trocaico:

o óo óo óo [54].

El verso siguiente:

Ven a mí desde ti,

Un verso como "Acude, corre, vuela", que gramaticalmente se considera yámbico, pertenece rítmicamente al tipo trocaico, con la primera sílaba en anacrusis, o óo óo óo. El eneasílabo "Dancemos en tierra chilena", figura como anfibráquico en el plano gramatical y como dactílico con anacrusis en la realización fonética, o óoo óoo óo. Al decasílabo "Del salón en el ángulo oscuro", se le clasifica como anapéstico en términos gramaticales y como dactílico, con anacrusis de sus dos primeras sílabas, si se atiende al efecto de su percepción rítmica, oo óoo óoo óo" (*Ob. cit.*, p. 11). Los dos versos enunciados se ajustan, entonces, al siguiente esquema (llamado por Navarro eneasílabo trocaico): ooo óo óo óo.

[53] Análogo efecto produce el verso:

—azor siempre o saeta—

(RA., p. 236),

on que, en otro poema, se define al amor. Es un heptasílabo trocaico: o ío óo óo, a cuyo sosiego rítmico se añade, como antes, la presencia de los ;uiones y del hiato *ae* que resalta la palabra *saeta*. Sumersiones todas en un nundo celeste: el mundo del amor.

[54] Y vemos, de nuevo, que un procedimiento —ahora el ritmo trocaico— •uede tener doble y contradictorio valor. La lentitud y monotonía de este rit- 10, que su repetición en varios versos seguidos acentúa, sugiere un aquieta- 1iento. Aquí ese aquietamiento es el de la "muerte-vida", no el del amor.)mo antes. Es el *significado,* claro está, el que decide.

altera este ritmo. Como que se alude a la misma cuestión del verso
inicial (ajeno también al ritmo trocaico): la posibilidad de que la
amada salga, precisamente, de su fatiga, para darse libremente: desde
lo más hondo de sí misma,

> no desde tu cansancio...

(Vuelve, con el cansancio, el ritmo trocaico). Sigamos:

> ...de ti. Quiero sentirla.
> Tu libertad me trae,
> igual que un viento universal,
> un olor de maderas
> remotas de tus muebles,
> una bandada de visiones
> que tú veías
> cuando en el colmo de tu libertad
> cerrabas ya los ojos.
> ¡Qué hermosa tú libre y en pie!

Ya no es sólo el ritmo lo que se altera, sino el metro mismo. ¡Tal
es la fuerza de la libertad! El heptasílabo, constante en el comienzo
del poema, se sustituye, aquí y allí, por otros metros. Sí, igual que un
viento que lo barre todo. Amplias perspectivas se abren a nuestros
ojos, y los versos largos traducen esa ampliación. Fijémonos en el endecasílabo "cuando en el colmo de tu libertad". Es un verso con sólo
dos acentos: en 4.ª y 10.ª sílabas; es decir, falto del apoyo acentual
en 8.ª o en 6.ª [55]. Hay así como una sensación de despeñamiento, de
fondo azaroso en que la amada, en el colmo de su libertad, se precipita. Una visión inquietante, sobrecogedora, de los abismos de la libertad. Si ahora reparamos en los tres eneasílabos que hay en los
versos citados:

---

[55] Tal tipo de endecasílabo, llamado por Navarro sáfico deficiente, coincide
con el de Góngora: "esa montaña que precipitante", comentado por D. Alonso
y al que ya hicimos mención.

> igual que un viento universal...
>
> una bandada de visiones...
>
> ¡Qué hermosa tú libre y en pie!,

observaremos algo que nos parece sorprendente. Son tres eneasílabos trocaicos (acentos en 4.ª y 8.ª). Pero de los tres falta, como se ve, el acento intermedio en 6.ª. Desde luego, este acento es secundario, y su desaparición, por tanto, no tan grave como en el endecasílabo que acabamos de ver (donde el acento en 6.ª o en 8.ª es fundamental). De todos modos, la coincidencia en los tres versos [56] nos fuerza a considerarlos en la dirección del endecasílabo, como casos de depresión acentual, al servicio de una visión abismática de la libertad. De sumersión en un paisaje profundo.

Continuemos con el poema:

> Quiero sentirla como siente el agua
> del puerto, pensativa,
> en las quillas inmóviles
> el alta mar, la turbulencia sacra.
> Sentirla,
> vuelo parado,
> igual que en sosegado soto
> siente la rama
> donde el ave se posa,
> el ardor de volar, la lucha terca...

Estamos ante una nueva alteración, que la libertad, al surgir, provoca. Nos referimos al consonantismo. Éste, de ser suave (a base de *ses*, sobre todo, y *uves* fricativas: "Quiero sentirla como siente el agua / ...pensativa"; "igual que en *sosegado soto* / siente la rama / donde el ave se posa"), pasa a ser encrespado, revuelto, en los versos:

---

[56] El verso "¡Qué hermosa tú libre y en pie!" tiene un acento en 5.ª, que los otros dos no poseen. Pero este acento podemos considerarlo absorbido por el ritmo trocaico básico.

...el alta mar, la turbulencia sacra...

...el ardor de volar, la lucha terca...

Versos recorridos por el tráfago de la libertad. Obsérvese que se trata, además, de dos endecasílabos, en contraste con los metros anteriores más cortos. La libertad, como antes, altera también la medida del metro: lo ensancha. Rebelde por definición, no se somete a él. Pero los versos que anteceden nos hablan del deseo del amante de detener el vuelo libre de la amada: que ella (como un ave) se pose en él (como en una rama). Que él sea el polo, a que la amada —su libertad, la libertad de su amor— se dirige, su centro de gravedad. El infinitivo "sentirla", solo en un verso, pone en relieve —con su estatismo— tal deseo. Y la gravitación (ese hacer nuestro el amor, y sentir su libertad en nosotros) queda sugerida por los finales agudos de los versos que a continuación subrayamos:

> *Descánsala hoy en mí: la gozaré*
> con un temblor de hoja en que se paran
> gotas del cielo al suelo.
> La quiero
> para soltarla, solamente.
> *No tengo cárcel para ti en mi ser.*
> *Tu libertad te aguarda para mí.*
> La soltaré otra vez, y por el cielo,
> por el mar, por el tiempo,
> veré cómo se marcha hacia su sino.
> Si su sino soy yo te está esperando.

Se observará cómo el final agudo cae por dos veces (una en mitad del primer verso) sobre el *mí*. Polo de la libertad. Los versos:

> La soltaré otra vez, y por el cielo,
> por el mar, por el tiempo,

parecen sugerir, con su rima *e-o,* la armonía de la gloria abstracta (si cuerpo) en que la libertad de la amada se mueve, si el amante la dej

Libertad de nadie, entonces. Pero adviértase también que el deseo de poseer la libertad de la amada, de retenerla en *mí*, no niega esa libertad: "No tengo cárcel para ti". Esta idea complicada de retención en un espacio libre, ha acertado Salinas a plasmarla muy bellamente en los versos de otro poema:

> En el alma te encierro,
> como el vuelo del ave
> encierra el aire suyo preferido
> en una red de ansiosas idas y venidas,
> de vuelos
> en torno tuyo, en cerco sin prisión,
> toda adorada en giros, rodeada.
>
> (RA., p. 243)

El espacio libre, en que el amante encierra a la amada, es el alma. Alma que se compara al vuelo de un ave. El amante *ave*, y la amada *aire*. Es decir, dos seres ascendidos, libres (con libertad física, de movimientos, que sugiere una libertad espiritual). Y esos dos seres libres se rinden uno al otro; se entregan mutuamente su libertad. El vuelo del ave encierra al aire: el amante libre a la amada libre. Pero tal encierro no quiere decir que la amada —el aire— deje de ser libre; lo es en todo momento. Por eso, el amante está obligado a seguir como el ave en sus vuelos, a fin de no dejar el cerco que ellos crean. Cerco sin prisión. El carácter dinámico —movimiento constante— del amor se trasparenta, una vez más, de tal modo.

Versos después, leemos en este mismo poema (que con otro motivo habíamos citado ya):

> Me acuno en el cansancio
> y en él me tienes y te tengo en él...

La libertad de la amada aparece también aquí. También ella tiene (es activa) y no sólo es tenida (pasiva). En su actividad es su libertad o que se manifiesta.

Recordemos, ahora, aquellos versos de *La voz*...:

> En lo que no ha de pasar
> me quedo, en el puro acto
> de tu deseo, queriéndote.
> Y no quiero ya otra cosa
> más que verte a ti querer.
>
> (p. 170)

Se quiere a la amada en su actividad misma, en su hacer (donde la libertad, repetimos, se expresa). Se quiere que la amada quiera ("verte a ti querer"), no que *me* quiera (verte a ti quererme). La forma gramatical denota el deseo de poner el amor a salvo de toda prisión, incluso de la del amante. De toda prisión de lo hecho: concluso. La fuente de donde el amor brota (el alma) no ha de cegarse. Ha de estar siempre libre, manante su energía, si no queremos que *el* amor se nos convierta en *un* amor: posesión del cuerpo sólo, no del alma. Una convención más.

La actividad de la amada se trasparenta también en este poema:

> ¡Cómo me dejas que te piense!
> Pensar en ti no lo hago solo, yo.
> Pensar en ti es tenerte,
> como el desnudo cuerpo ante los besos,
> toda ante mí, entregada.
> Siento cómo te das a mi memoria,
> cómo te rindes al pensar ardiente,
> tu gran consentimiento en la distancia.
> Y más que consentir, más que entregarte,
> me ayudas, vienes hasta mí, me enseñas
> recuerdos en escorzo, me haces señas
> con las delicias, vivas, del pasado,
> invitándome.
>
> (RA., p. 242)

Los recuerdos se hacen actuales. El pasado que nos ofrecen no está muerto, sino vivo, y se puede ver incluso ("en escorzo"). Es, además, la amada, en persona, quien lo muestra. El recuerdo se salva de tal modo, pues deja, realmente, de serlo. Todo ello indica la concreción, el enorme bulto con que la amada está recordada. Pensada. Comprendemos que se pueda decir:

> Pensar en ti es tenerte,
> como el desnudo cuerpo ante los besos...

Pero aún esto parece poco. No basta que la amada pensada se haga actual, cobre cuerpo aquí. Es preciso también su alma. Y alma quiere decir actividad. Por eso la amada no se rinde, no se entrega sólo, sino que *viene, hace señas*. Y —esto es lo más extraordinario— piensa ella también. *Pensar en ti no lo hago solo, yo.* Los versos finales harán hincapié en esta idea:

> Me dices desde allá
> que hagamos lo que quiero
> —unirnos— al pensarte.
> Y entramos por el beso que me abres,
> y pensamos en ti, los dos, yo solo.

Los dos, yo solo quiere decir que el amante es uno (físicamente) y doble a la vez; lleva dentro de él, en su pensar, a la amada. Pero no la lleva sólo como objeto, sino como sujeto. Pensante, y no sólo pensada: la amada se piensa a sí misma. Al consentir que el amante la piense (es decir, la posea) no pierde, por ello, su libertad. Sigue siendo un ser libre, activo: o, lo que es lo mismo, un ser pensante.

LOS PRONOMBRES "TÚ" Y "YO"

Creemos que es este deseo de destacar la individualidad de la amada —su ser esencial—, lo que explica la mención frecuente del pronombre *tú*, junto con la del pronombre *yo*, representantes ambos de ese ser esencial. La importancia del procedimiento radica, además de en su aludida frecuencia, en el hecho de la puesta en realce que los pronombres en el verso tienen. Ya en el poema *Amada exacta* (SA., 33), encontramos un magnífico ejemplo:

> *Tú* aquí, delante. Mirándote
> *yo.* ¡ Qué bodas
> *tuyas, mías,* con lo exacto!

Ejemplo doblemente interesante. Porque pone de relieve, en el lugar inicial del verso, los dos pronombres *(tú, yo)*, y por la anómala expresión "tuyas, mías", en vez de *nuestras,* donde la individualidad de cada amante no quedaría tan marcada [57].

Los ejemplos se acumulan en los libros centrales del poeta, como consecuencia de la dedicación plena en ellos al tema amoroso. Habíamos visto ya un caso en el poema *Amor, amor, catástrofe...*: "Andas, ando", en lugar de *andamos,* y, poco después, "tú y yo" ocupando solos un verso.

Un caso análogo muestran estos versos:

> sería cambiar la duda
> donde vives, donde vivo...
>
> (Voz, p. 190)

Nuevo desdoblamiento anormal del sujeto, que pone en relieve tanto el *tú* de la amada como como el *yo* del amante.

En *Fin del mundo* (RA., p. 282), leemos:

> Pero nosotros,
> *tú* y *yo,* esta noche...

---

[57] Esto, por supuesto, no entra en contradicción con el hecho de que cuando la individualidad de los amantes es sentida como soledad, se forje un palabra en que ambos puedan caber *(ellos,* por ejemplo, o la que sea) o bien se acuda a imágenes de confusión, donde las diferencias individuales se borre en la unidad del amor. Lo que no hay que perder de vista es que para lograr esa unidad hacen falta dos: esto es lo que se quiere hacer notar ahora.

No basta, como se ve, el *nosotros*. Poco después, en este mismo poema :

> ...mientras *tú*
> y *yo* nos abrazamos sin movernos...

Tú y *yo* ocupan, ahora, la posición final e inicial del verso : destacadas ambas. Lo mismo en :

> Y mientras no vengas *tú*
> *yo* me quedaré en la orilla...
> (Voz, p. 194)

> *yo* me lo creería;
> pero me quedas *tú*.
> (Voz, p. 198)

Procedimiento que coexiste con el de colocar los dos pronombres al principio de dos versos que se siguen, como vimos ya :

> *Tú*, no las puedes ver;
> *yo*, sí.
> (Voz, p. 195)

En el poema a que pertenecen estos versos, hallamos también un modo de destacar el pronombre *tú*. Darle la plaza de un verso entero :

> *Tú*
> no las puedes besar.

Ya habíamos mencionado un ejemplo análogo :

> Porque no te veré ya nunca más
> el día que te vayas,
> *tú*.
> (RA., p. 242)

También el *yo* conoce la misma posición privilegiada:

> Entre tu verdad más honda
> y *yo*
> me pones siempre tus besos.
>
> (Voz, p. 188)

En fin, otro poema (*Despertar*, RA., p. 272) muestra este caso
curioso:

> Cuando por fin nazcamos
> abierta la ventana —¿quién, *tú* o *yo*?—...

Se refiere el poeta al nacimiento a la nueva vida —la vida del
amor— de los amantes. El plural "nazcamos" le parece, entonces, insuficiente para referirse a ellos dos. Siente la necesidad de destacarlos
a ambos, por separado, y de ahí el "¿*tú* o *yo*?", ocioso desde un
punto de vista conceptual. No importa mucho quién abra la ventana; lo que importa es afirmar los pronombres (es decir, los amantes),
algo perdidos en la unidad vaga del plural.

Resumiendo, diríamos, pues, en una terminología que ya utilizamos, que los dos pronombres *tú* y *yo* son como dos centros de gravedad, a los que inevitablemente van a parar los versos del poema, de
modo parecido a como la vida se reduce —va a parar— a ellos dos.
Los ejemplos que hemos citado son casos estentóreos de realce pronominal, pero, de un modo menos aparente, eso que llamamos gravitación se refleja en muchos otros poemas. Veamos:

> Tú no puedes quererme:
> estás alta, ¡qué arriba!
>
> (Voz, p. 184)

Este poema, como muchos otros de Salinas, comienza por un
afirmación sentenciosa (dos versos). Los versos que siguen serán u
desarrollo demorado de estos dos iniciales: de las implicaciones cor
tenidas en ellos:

Y para consolarme
me envías sombras, copias,
retratos, simulacros,
todos tan parecidos
como si fueses tú.

Ocurre lo que pudiéramos llamar un despliegue imaginativo de materia, que tiñe de sensorialidad la expresión. La sentencia, algo enigmática, de antes se colorea. Pero lo que nos interesa, ahora, es ese abocamiento de todo al *tú* de la amada. *Tú* que se impone, tanto por su posición final (no sólo de verso, sino de frase), como por su acentuación aguda, en contraste con la llana de las palabras que lo preceden. La imaginación parece aquietarse entonces, encontrar reposo en ese *tú*. Lo que no obsta para que, acto seguido, comience un nuevo despliegue (precedido, como antes, por un par de versos de contenido más intelectual):

Entre figuraciones
vivo, de ti, sin ti.
Me quieren,
me acompañan. Nos vamos
por los claustros del agua,
por los hielos flotantes,
por la pampa o a cines
minúsculos y hondos.
Siempre hablando de ti.

Inmensos y variados paisajes (ardientes, fríos), junto a, como contraste, realidades de la vida cotidiana ("cines minúsculos") desfilan ante nuestros ojos. Es todo un mundo. Pero ese mundo acaba reduciéndose al "tú" de la amada: "Siempre hablando de ti". Este es el quicio donde toda realidad se asienta, el núcleo, el centro de gravedad.

El poema continuará del mismo modo:

Tus espectros, qué brazos
largos, qué labios duros
tienen: sí, como *tú*.

> Por fingir que me quieres,
> me abrazan y me besan.
> Sus voces tiernas dicen
> que tú abrazas, que *tú*
> besas así. Yo vivo
> de sombras, entre sombras
> de carne tibia, bella,
> con tus ojos, tu cuerpo,
> tus brazos, sí, con todo
> lo tuyo menos *tú*.

Muy hermosos son estos versos. Véase que la amada se nos apa-rece en ellos como un ser espectral. Como que pertenece (cuerpo sólo, sin amor) a esta vida, que no es sino muerte. Pero no un espectro o sombra, en singular, es la amada, sino "espectros", "sombras". El plu-ral es decisivo aquí. Subraya ese hecho, ya enunciado, de que la ama-da corporal es una amada cambiante, múltiple; hoy una y mañana otra.

En lo que se refiere al pronombre *tú*, que con su singularidad se opone a esos plurales, añadiremos que a su fuerza contribuye, aparte su lugar en el verso, su carácter monosilábico. Los monosílabos son —según vimos—, para Salinas, una concentración de materia viva: un núcleo (vital, no sólo fonético). Irreductible como tal, inmodifi-cable.

En fin, el procedimiento anotado aparece, aunque no de un modo continuo como en este poema, en pasajes aislados de otros muchos:

> Posesión tú me dabas
> de mí, al dárteme *tú*.
>
>   (Voz, p. 197)

> cuando estoy más cerca de ella
> me cierras el paso *tú*...
>
>   (Voz, p. 188)

en la tierra, en el año
de donde vienes *tú*...

(Voz, p. 198)

de otro amor u otra vida
que los que vivas *tú*.

(Voz, p. 161)

Allí me llevaste *tú*.

(Voz, p. 194)

Una suma de estos procedimientos con otros ya mencionados se da en estos versos:

Y mientras no vengas *tú*
yo me quedaré en la orilla
de los vuelos, de los sueños,
de las estelas, inmóvil.
Porque sé que donde estuve
ni alas, ni ruedas, ni velas
llevan.
Todas van extraviadas.
Porque sé que donde estuve
sólo
se va contigo, por *ti*.

(Voz, pp. 194-195)

La vocal cerrada de los monosílabos *tú, ti*, junto con su acento agudo, se hinca en la monotonía de palabras —bi o trisílabas— predominantemente llanas y de vocal acentuada abierta (vuelos, sueños, estelas, *a*las, ruedas, velas, llevan). Repárese también en el consonantismo alado, suave (*eles, eses, uves* fricativas) de estas palabras. Repárese en la rima: "vuelos / sueños", "ruedas / velas / llevan". Todo nos sume en un paisaje aéreo, flotante —cielos vacuos— que sólo la presencia de la amada (de su *tú*) puede llenar [58].

---

[58] Recuérdese:

Un ejemplo parecido a éste, tenemos en el comienzo de otro poema:

> Antes vivías por el aire, el agua,
> ligera, sin dolor, vivir de ala,
> de quilla, de canción, gustos sin rastros.
> Pero has vivido un día
> todo el gran peso de la vida en mí.
>
> (RA., p. 218)

La quietud que la rima *a-a* (agua / ala) de los dos primeros versos introduce, es, como antes, no la del paraíso, sino la del vacío del mundo sin amor, donde nada pasa o, lo que es lo mismo, donde nada de lo que pasa deja rastro. No es de la eternidad que el amor crea de lo que se trata, sino de la eternidad (muerte) del tiempo (vida), como otras veces dijimos: "eternidad blanda del tiempo", que leeremos después. El *aire* y el *agua* son elementos en los que se flota, como en el vacío; flotar que no deja huellas ("sin rastros"). "De canción": las palabras vuelan también.

> Pero has vivido un día
> todo el gran peso de la vida *en mí*.

Si el segundo verso terminara en *vida*, tendríamos dos versos con rima en *í-a*. Pero en lugar de eso se prolonga ("en mí"). Se prolonga para terminar en una acentuación aguda, que arrastra, como si dijéramos, todo el peso del verso: todo el peso de la vida. Es el *mí* (yo) que, junto al *ti* (tú), señalamos como centros de gravedad, a que los pesos todos se rinden. Sin ellos dos, sin el amor que crean, el mundo sería, es, un vacío. Algo flotante, fantasmal. Sólo de ese vacío (del mundo, que la rima sugiere) puede salirse por un *en mí* (o por un *en ti*):

> Nunca me iré de *ti*
> por el viento, en las velas,
> por el alma, cantando...
>
> (*Aquí*, FyS., 10)

Y ahora,
sobre la eternidad blanda del tiempo
—contorno irrevocable, lo que hiciste—
marcada está la seña de tu ser,
cuando encontró su dicha.

Su dicha en el amor. En mí.

Por supuesto que a estos casos de realce de la personalidad de los amantes por medio de pronombres personales, podrían añadirse aquellos en que son los posesivos los que llevan a cabo tal función. Ya alegamos ejemplos:

Con la punta de *tus* dedos...

que te encuentras en *tu* espejo
cada día al despertar,
y es el *tuyo*.

(Voz, pp. 131-132)

lo que me está palpitando
con sangre *mía* en las venas.

(Voz, p. 134)

Añadamos aún:

¿O seré sólo algo
que nació para un día
tuyo...

(Voz, p. 137)

Aquí el encabalgamiento resalta fuertemente al posesivo. En otro poema, en fin, hay una acumulación de indicaciones posesivas, que alternan con otras de pronombre personal:

sin más destino ya
que ser *tuyo, de ti*...

"Soy *tuyo*, sólo *tuyo*"...

vivida *en ti, por ti*...

(Voz, pp. 160-161) [59]

EL AMOR COMPARTIDO

Es éste el momento de citar unas palabras muy certeras de Julián
Marías sobre nuestro poeta: "Ante todo proximidad. La mujer amada
es vista en una perspectiva de cercanía, no como una figura lejana; de
ahí su concreción y relieve, su falta de convencionalismo, también
su provisional ausencia de "halo". La "idealización" o elevación de la
amada acontece aquí también, pero sólo en tanto que amada, es decir,
a consecuencia del amor, que parte de una previa situación de "igual-
dad" e intimidad: la amada es ya —y siempre— amiga; ésta es quizá
la innovación capital de Salinas (...)
Por eso la forma de elocución es tú, y el decir amoroso no es tanto
un decir de la amada o para ella; es, en rigor, un decirse diciéndole
a la amada, en íntimo diálogo; y por esto se trata esencialmente de
un amor "compartido", aparte de la circunstancia secundaria de que
sea un amor "correspondido". Garcilaso habla, sin duda, a Galatea o a
Elisa, le dirige sus versos, usa el vocativo también; pero los hace solo,

---

[59] Leo Spitzer, que ha reparado en algunas de estas fórmulas —las más
aparentes, que nosotros citábamos al principio—, añade, con razón, a ellas los
casos de dativo ético: "el dativo ético español se presta admirablemente a dar
calor vital a la frase:

> ...un día el beso tuyo
> de tan lejos, de tan hondo
> *te* va a nacer (...)

(el primer *te* parece lógicamente poco necesario después del *tuyo*) (...)

> La vida que te imploro
> a ti, la inagotable
> *te* la alumbro, al pedírtela.

Este pronombre *te* es como una caricia, una especie de toque tímido, pero
incesante, de esa entidad del Tú que se escapa siempre" (*Ob. cit.*, p. 277).

y en un esencial después los envía o los canta; a la poesía amorosa tradicional le pertenece una dualidad intrínseca: un momento de creación y otro de manifestación, comunicación o proclamación, independientemente del primero. En el caso de Salinas esta dualidad desaparece: la amada "asiste", por decirlo así, a la génesis del poema, y se trata de un acto único (...)

Esta cercanía y amistad de la amada la sitúa en un escorzo "personal": la mujer es ante todo una persona cuya convivencia es anhelada, en cuya intimidad se necesita penetrar, cuya secreta mismidad es lo decisivo. Aquí se manifiesta más que en nada la fecha de la poesía de Salinas, sólo posible en una época como la nuestra, en que la mujer ha pasado de ser considerada como algo peculiar, que, por pertenecer a la especie humana es "también" persona, a ser vivida como una persona, cualificada en segundo término por su condición femenil" [60].

Cita larga, pero que, bien se ve, valía la pena. Viendo como hemos visto que el poeta trata de penetrar en la intimidad, no sólo de la mujer, sino de todos los seres que le salen al paso, asistimos de buena gana a la afirmación de que la amada es una persona —que posee un alma—, cualificada como mujer en segundo término. Yo, por mi parte, me permitiré aducir algunos ejemplos que corroboren las apreciaciones de Marías.

En primer lugar, el uso frecuente que del imperativo hace nuestro poeta. Una cantidad nada despreciable de poemas comienza por esta forma, dirigida a la amada:

> Despierta. El día te llama...
>
> (Voz, p. 158)
>
> empújame, lánzame...
>
> (Voz, p. 166)
>
> Perdóname por ir así buscándote...
>
> (Voz, p. 175)

---

[60] *Op. cit.*, pp. 140-142.

Dime, ¿por qué ese afán...
                    (Voz, p. 191)

Di, ¿no te acuerdas nunca...
                    (RA., p. 227)

Dame tu libertad.
                    (RA., p. 251)

Di, ¿te acuerdas de los sueños...
                    (RA., p. 263)

No te guardes nada, gasta...
                    (RA., p. 264)

Es notorio que el imperativo apunta directamente a la persona a
quien se dirige, como el *tú* antes (el cual, ahora, se mienta de un
modo implícito). *Tú* que, por medio del imperativo, se pone en contacto con el *yo* que lo profiere. El hecho de que esta forma gramatical se encuentre, además, en el principio del poema, da la razón a
Marías en lo que dice de que la amada "asiste" a la génesis del poema.
Está presente, desde el primer momento, como sujeto a quien el poema se dirige, o mejor, *se dice*. Tono de diálogo: esto es lo esencial.
Amor "compartido".

Al lado de los poemas que comienzan por un imperativo, podríamos poner aquellos que lo hacen por una pregunta (dirigida también
a la amada):

¿Las oyes cómo piden realidades...
                    (Voz, p. 205)

¿En dónde está la salvación? ¿Lo sabes?
                    (RA., p. 212)

¿Tú sabes lo que eres...
                    (RA., p. 222)

¿No sientes el cansancio redimido...
                                                        (RA., p. 242)

¿Cómo me vas a explicar,
di...
                                                        (RA., p. 253)

Ellos. ¿Lo ves, di, los sientes?
                                                        (RA., p. 259)

¿No lo oyes? Sobre el mundo...
                                                        (RA., p. 266)

¿No sientes...
                                                        (RA., p. 281)

Casos todos en los que está aludido —en uno de ellos explícitamente— el *tú* de la amada. El poema se asienta *ab initio* en una zona
de intimidad. Tierra del poema, donde éste crece. La confidencia lo
sustenta o lo inunda enteramente. Repárese en ese ejemplo, único entre los citados, en que la pregunta no surge desde el comienzo mismo:

                Ellos. ¿Lo ves, di, los sientes?

Se notará que se dice "¿Lo ves?", y no "¿Los ves?". Es decir,
el pronombre no hace referencia al *Ellos*, con que el poema comienza.
Ellos apunta el tema que va a tratarse. Pero el "¿Lo ves?" se aparta
con más fuerza que lo haría "¿Los ves?") de ese tema. El tono de
diálogo se afirma así más netamente; hay como un inciso, tras el
cual se reanuda el tema [61]. También es el pronombre neutro el que

---

[61] No descartamos la posibilidad de una errata. En la edición que mane-
amos, se halla este verso, en los índices (de primeros versos y general), del
siguiente distinto modo:

        Ellos. ¿Lo ves, di, lo sientes?
        Ellos. ¿Los ves, di, los sientes?

aparece en "¿No *lo* oyes? Sobre el mundo...". Es neutro y no mas-
culino, pues la palabra a que se refiere es "el ansia" (un femenino):
"...vuela o se arrastra el *ansia* de ser cuerpo".

Un último ejemplo, de otro tipo. Un poema (*Despertar*, RA., página 270) comienza de este modo:

> Sabemos, sí, que hay luz. Está aguardando
> detrás de *esa* ventana...

¿Qué ventana? Estamos en el plano de la deixis *ad oculos,* que
no tendría sentido si el poeta hablara con el imaginario lector, pero
con quien habla es con la amada. Con una amada presente, además
(o hecha presente por la imaginación): esta aclaración es necesaria
para comprender la referencia que hace el demostrativo. La amada,
pues, una vez más, asiste al acto de la creación poética; está inmersa
en él.

MÁS SOBRE EL RITMO

Hemos comentado hace poco dos poemas desde el punto de vista
rítmico. Una que otra observación aislada hicimos también. Quisiéramos demorarnos algo más sobre este aspecto de los versos de Salinas.
Comencemos por decir que el ritmo de tales versos es cambiante (en
mayor medida aún que el metro). Ello corresponde al carácter de esta
poesía, tan raramente aquietada: "una forma del hacer y en el hacer
mismo", según la definición de Vivanco. Diríamos, entonces, que las
pocas veces que los versos se sujetan a un ritmo uniforme, se introduce una calma, la cual, como la producida por la rima o la estrofa,
puede interpretarse, en términos conceptuales, del mismo doble modo
que tantas veces vimos. Calma del amor (conseguido) o de la vida que
es como la muerte. Esta es la observación general más importante que
podemos hacer. La ilustraremos con algunos ejemplos, que añadir a
los ya citados. Recordemos, en primer lugar, aquellos versos, en que

el amante se ve rodeado, seguido a donde quiera que vaya, por las figuraciones de la amada (que ocultan su verdadero ser):

> ...me acompañan. Nos vamos
> por los claustros del agua,
> por los hielos flotantes,
> por la pampa o a cines...
>
> (Voz, p. 184)

He aquí cuatro versos que se someten a un mismo ritmo:

oo ó oo óo

Su monotonía sugiere la de la vida (sin amor), en que esas figuraciones se asientan. Obsérvese que la enumeración de términos, in-
troducidos todos por la misma preposición *por*, subraya también esa
monotonía. Un ejemplo análogo es éste:

> ...Te iban buscando
> *por* tardes grises, *por* mañanas claras,
> *por* luz de luna o sol, sin encontrar.
>
> (RA., pp. 217-218)

Son dos endecasílabos con acento uniforme: en las sílabas pares.
Muy acentuados además; cuatro sílabas de cada verso reciben acento.
Hay, pues, como un martilleo constante, que nos sume, enteramente,
en esa monotonía de la vida (de las "gentes"), donde las cosas se repiten una y otra vez.

Endecasílabos del mismo tipo, con el mismo efecto, son:

> ...con nieves o con sol, con pena o dicha...
>
> (RA., p. 235)

> ...del mundo, de tus padres, de la tierra...
>
> (RA., p. 236)

Donde, como antes, la repetición de la partícula se alía a un ritmo lento, acompasado, para sugerir ese mundo monótono, donde nada (nada nuevo) pasa. Ritmo tan fuertemente expresivo que no es preciso, para percibir su efecto, que se reitere en más de un verso. Un endecasílabo muy acentuado es también el verso:

> la infatigable sed de ser corpóreo
>
> (RA., p. 268)

Lleva acentos en 4.ª, 6.ª, 8.ª y 10.ª sílabas. Tanto apoyo acentual sugiere aquí el deseo de cuerpo, de sustento en un cuerpo. Véase, además, cómo los dos monosílabos agudos *(sed, ser)*, en el centro, producen esa sensación, otras veces notada, de aferrarse a algo, de no dejarlo escapar. Es un verso nada volante.

Enteramente análogo es el endecasílabo:

> como la luz del día entera cae
>
> (RA., p. 289)

Tiene acentos en las mismas sílabas que el otro. Se refiere el poeta a la felicidad, que, como la luz, dejará de volar por su gloria abstracta, para hundir en él todo su peso. Peso que viene sugerido, como antes, por la intensa, insistente acentuación, que aquieta el verso. La cual acentuación, como antes también, golpea dos palabras monosilábicas: *luz, cae* (ésta reducida a una sílaba por la sinalefa) y, añadiríamos aún, *día* (cuya *a* se une a la *e* de "entera"). Hay así como tres martillazos en las palabras que reciben los acentos esenciales del verso [62], los cuales lo sujetan, diríamos, como el cuerpo a la felicidad que se vuela. Este mismo poema *(La felicidad inminente* es su título), a que pertenece el verso citado, contiene otro rigurosamente yámbico (trocaico, con la primera sílaba en anacrusis, según Navarro), cuyo aquie-

---

[62]   Es decir, más exactamente, el martilleo del acento se amplifica por el hecho de caer en una palabra entera, y no en una sílaba de una palabra.

tamiento es, ahora, no el del amor, sino el de la muerte —"noche eterna", p. 210—, en que la vida (sin amor) consiste:

> insomnio ya sin fin si no llegara
>
> (p. 288)

Si no llegara la felicidad: el amor.

El ritmo trocaico aparece también en este par de heptasílabos:

> Flotantes, boca arriba,
> en alta mar, los dos.
>
> (RA., p. 284)

Dos versos de ritmo sereno, sosegado: o óo óo óo. Con sosiego aquí de paraíso. Los dos enamorados, solos, flotantes, están como en el paraíso. Pero en este mismo poema se halla otro verso, enteramente trocaico también, que traduce, opuestamente, el sosiego —monotonía, repetición— de la vida diaria; esa vida de la que los amantes nada saben. Ellos están solos,

> sin la demostración desconsolada
> que es tener en las manos
> monedas de oro o un retrato...
>
> (p. 286)

El último verso es el que nos interesa. Es un eneasílabo trocaico perfecto (con acento en todas las sílabas pares). Verso de gran belleza. El retrato nos habla de algo que existió y está lejano: nos introduce en la dimensión del recuerdo, que Salinas quiere siempre evitar. Es, por otra parte, copia o imagen del ser (el cual no puede sustituirse con nada). También las monedas de oro son vestigio de otros seres, con los que intercambiamos tales monedas. Vano intercambio, allí don- de sólo el de las almas nos afecta profundamente. No nos salimos de la mundaneidad, de la esfera de lo social, tan desdeñada del poeta. Pero la fuerza extraordinaria del verso procede de que las monedas

de oro y retratos son algo valioso para el común de las gentes; al
verlos rechazados una emoción se desprende [63].

Una interesante acumulación de procedimientos, se da en un poema, que comienza hablando del dinamismo del amor ("No, nunca está
el amor. / Va, viene, quiere estar...", RA., p. 236), para decir algo
después:

> Ya
> parece que está aquí,
> que es nuestro, entre dos cuerpos,
> que no se escapará
> guardado entre los besos.

Aluden estos versos a una detención del movimiento del amor. El
adverbio *ya*, puesto solo en un verso, indica el instante en que la línea
de ese movimiento se interrumpe; tiene, pues, el carácter perfectivo
que otras veces vimos. Los otros cuatro versos forman como una estrofa, en virtud de la rima *e-o* (cuerpos / besos) y del ritmo regular:
trocaico en los cuatro (acento en las sílabas pares) [64]. Añadamos aún
los dos finales agudos *(aquí, escapará)* de los versos sin rima, que
colaboran con los otros procedimientos en ese intento de apresar el
amor: de detener su curso.

Los versos que siguen a éstos en el poema, tienen también interés:

> Y su pasar, su rápido
> vivir aquí en nosotros,
> llega, fuerte, tan hondo
> que aunque vuele y se huya

---

[63] El verso tiene interés también por su vocalismo, a base de *oes* y *es*,
que en la poesía de Salinas tienen, como dijimos, un valor neutro (entre la
concreción de las extremas *i, u* y el abstractismo de la *a*). Es que el poder
de evocación de las monedas o el retrato no es suficiente para alzarnos al cielo,
para desligarnos de la tierra esta; se queda a medio camino.

[64] El acento en 4.ª sílaba, que falta, no es esencial. También prescindimos de los acentos en otras sílabas, que quedan borrados por el ritmo trocaico dominante (con su acento fundamental en 2.ª). Nos atenemos siempre
a la doctrina de Tomás Navarro.

a buscar otros cambios,
a ungir a nuevos seres,
decimos amor mío.

El segundo verso, con sus dos palabras agudas (*vivir, aquí*), está en la línea de sugestión que acabamos de mencionar. Alude, en efecto, a la retención del amor en nosotros: retención que los dos acentos, como dos clavos, marcan. A este verso, y el anterior, que poseen un ritmo trocaico, siguen tres dactílicos (acentos en 3.ª y 6.ª sílabas) —un ritmo menos sosegado, más ágil—, para volver al trocaico en los dos versos finales. El cambio de ritmo traduce bien el cambio conceptual: de lo volante y huidizo del amor a su estancia —retención— en mí. El ritmo se aquieta. La rima interna del último verso (*i-o*) contribuye también a esa sensación de quietud.

Efectos expresivos, debidos a alteraciones del ritmo, se dan también en otro poema, que queremos nos sirva de ejemplo final:

No te detengas nunca
cuando quieras buscarme (...)
Intacto, inajenable,
un gran espacio blanco,
azul, en mí, no acepta
más que los vuelos tuyos,
los pasos de tus pies...

(RA., pp. 234-235)

Es un poema en que Salinas, conforme a su gusto, se representa una vez más físicamente la idea de altitud espiritual. Los amantes se encuentran uno con otro en lo más alto —es decir, lo mejor— de sí mismos. Pero esa altura (síquica) se hace tangible ahora. El amante es como una "torre" o un "árbol" ("piensa en las torres altas, / en las trémulas cimas / del árbol...", dice a la amada), a cuya cima —ser más alto— viene ella. Allí se realiza el encuentro. Claro que la amada para llegar necesita unas alas, y el poeta, efectivamente, se las otorga.

El ritmo del poema, escrito en heptasílabos, es predominantemente dactílico o mixto [65], tal como muestran los dos primeros versos citados. Pero los que siguen, referidos al amante, que espera estático como un árbol o una torre, introducen un ritmo trocaico —más lento—, siendo la sola excepción el verso "más que los vuelos tuyos" (de ritmo mixto): verso que alude a la volante mujer [66]. Repárese también en el verso "azul, en mí no acepta", que parece querer asir, con sus dos acentos agudos, ese vuelo de la amada. A ella se le dice que imite la conducta de las nubes y pájaros; es decir, que vaya a lo alto, donde las almas están:

> Y ellos, pájaros, nubes,
> no se engañan: dejando
> que por abajo pisen
> los hombres y los días...

Vemos que la imagen de encuentro en lo alto, sirve también al poeta para representar su idea de que el amor no se confunde con la vida diaria, que allá *abajo* pulula: "los hombres y los días". Y obsérvese que este verso posee un ritmo trocaico —monótono, como la vida—, que contrasta con el dactílico y mixto de los anteriores [67].

---

[65] Llama Navarro *mixto* (de trocaico y dactílico) al heptasílabo con acentos en 1.ª, 4.ª y 6.ª sílabas, que se ajusta a este esquema:

óoo óo óo

[66] Los acentos, en el ritmo trocaico, se distribuyen a cortos intervalos regulares; tal es la causa de su monotonía y lentitud. De su sosiego.

[67] El poema termina por estos versos:

> ...se van arriba
> a la cima del árbol,
> al tope de la torre,
> seguros de que allí
> en las fronteras últimas
> de su ser terrenal
> es donde se consuman
> los amores alegres,
> las solitarias citas
> de la carne y las alas.

LOS PRONOMBRES DE TERCERA
PERSONA. LA SOLEDAD

Quisiéramos completar nuestras observaciones sobre los pronombres
de 1.ª y 2.ª persona *(yo, tú)* con otras sobre los de 3.ª persona: su
uso y ausencia, y los efectos expresivos que Salinas obtiene de tal
modo. Hemos visto ya algunos ejemplos, en que el pronombre *ellos,*
tácitamente aludido como correspondiente a una forma verbal que lo
pide, se refería, por contraposición a los dos amantes, a ese mundo social que los rodea y del que se desasen o quieren desasirse.

> No en tu nombre, si lo *dicen,*
> no en tu imagen, si la *pintan.*
>
> (Voz, p. 134,

> esa palabra usada
> que *se dicen* las gentes,
> si *besan* o *se quieren...*
>
> (RA., p. 222)

Las *gentes*: eso son "ellos". Es decir, *otros,* no *nosotros* (no "tú"
ni "yo"):

> ...Te *iban buscando*
> por tardes grises, por mañanas claras...
>
> (RA., p. 217)

> ...Tu cuerpo mismo
> *se figuraron* que labrado estaba...
>
> (RA., p. 235)

Pero nótese cómo esos amantes ascendidos (alados) no se olvidan de su
∼ne. No se difuminan en el azul del cielo. Se trata, para decirlo con palabras
┐ poeta, de haber llegado a "las fronteras últimas de su *ser terrenal*", pero
∼a añadidura es importante— sin abandonar ese ser.

Claro que lo decisivo en estos ejemplos es, tanto como la alusión a un sujeto plural, el modo implícito de esa alusión. Los pasajes se tiñen así de impersonalidad, que resalta, por contraste, la personalidad de los dos amantes. Un sujeto explícito (*ellos*) enfatizaría a esas personas, cuya existencia se quiere negar. Piénsese que, una vez que tal pronombre se mienta, no alude a ningún cerco social, sino a los amantes mismos.

Otro caso de alusión curioso tenemos en el poema *No quiero que te vayas...* (Voz, p. 198). El poeta está solo con su dolor, pero ese dolor viene de la amada: le remite a ella entonces, a la época en que estaba con ella y se sentía vivir. No quiere que se vaya, por eso. El pronombre *tú* se referirá insistentemente a tal dolor, que ocupa así el lugar de la amada, que llena su vacío. Sólo él desecha la suposición de que nada, ningún amor, existió:

> Si *tú* no me quedaras,
> dolor, irrefutable,
> yo me lo creería;
> pero me quedas *tú*.
> Tu verdad me asegura
> que nada fue mentira.
> Y mientras yo te sienta.
> *tú* me serás, dolor,
> la prueba de otra vida
> en que no me dolías.

Véase que, junto al *tú*, aparece el *yo* con un uso enfático clarísim ("*yo* me lo creería", "Y mientras *yo* te sienta"). La repetición mach cona de los pronombres es pesada (en un contexto gramatical norma Justamente de eso se trata: de llenar el vacío con los pesos —repe dos— de los pronombres. Los versos finales ofrecen la misma insiste cia machacona:

> La gran prueba, a lo lejos,
> de que existió, que existe,
> de que me quiso, sí,
> de que aún la estoy queriendo.

Repeticiones: "que existió, que existe", "de que... de que... de que". Adverbio de afirmación *sí*. Pero junto a todo ello, todo ese deseo de recrear la presencia de la amada, es interesante observar cómo ésta sólo está aludida por el pronombre átono *la*: "de que aún la estoy queriendo". La mención del pronombre *ella* —necesaria para introducir un nuevo sujeto en el plano gramatical— no aparece. La amada, en la lejanía en que se sitúa, se desposee así de materia, no pesa apenas. La ausencia de pronombre verbal la difumina mejor que nada, le da su calidad de ausente. Todo su peso, todo su bulto lo ocupa, ahora, el dolor: acaparador del "tú" como vimos.

El pronombre *ella*, referido no a la amada, sino a algo inanimado, lo personaliza, haciéndole ocupar —como antes al dolor— el lugar de la amada. Así ocurre en un poema en que, de noche, en medio del silencio, el amante se siente solo. Quiere entonces que, si no la amada, por lo menos venga la aurora a sacarlo de tal estado:

> Y aunque te calles tú,
> en la enorme distancia,
> la aurora, por lo menos,
> la aurora, sí. La luz
> que *ella* me traiga hoy
> será el gran sí del mundo
> al amor que te tengo.
>
> (Voz, pp. 183-184)

Ella es aquí la aurora, que reemplaza a la amada. El pronombre os parece, entonces, una pieza indispensable en esa sustitución. Veamos otro poema:

> ¿Quién, quién me puebla el mundo
> esta noche de agosto?
> No, ni carnes, ni alma.
> Faroles, contra luna.
>
> (Voz, p. 203)

Faroles, contra luna expresa, con concisión insuperable, la soledad de la noche, en que el amante, sin la amada, se encuentra. No hay ninguna presencia humana ("carnes, ni alma"); sólo brilla lo inanimado: los faroles, la luna. Pero el amante siente la necesidad imperiosa de poblar esa soledad; poblarla de algo humano:

> Sombras y yo. Y el aire
> meciendo blandamente
> el cabello a las sombras
> con un rumor de alma.

Las sombras tienen cabello (carnes) y el aire tiene alma. Ese es el deseo.

> Me acercaré a su lecho
> —aire quieto, agua quieta—
> a intentar que me quieran
> a fuerza de silencio
> y de beso.

Silencio = alma, beso = carne. La rima interna destaca a ambos términos. "Su lecho" es el lecho de las sombras: lo único que queda de ella. Es decir, no queda nada, pues las sombras no son nada. El plural "que me quieran" comunica impersonalidad a todo el pasaje. El ser singular, que se querría introducir, no aparece.

> ...y de beso. Engañado
> hasta que venga el día
> y el gran lecho vacío
> donde durmieron ellas,
> sin huellas de la carne,
> y el gran aire vacío,
> limpio,
> sin señal de las almas...

Vacío, vacío, limpio: son las palabras importantes (que la rima la repetición destacan). No hay más que vacío, porque *ella* no est

Ni su carne ni su alma, que, si no unidas, aisladas por lo menos aparecían normalmente. No hay más que sombras: *ellas, no ella.*

> ...otra vez me confirmen
> la soledad, diciendo
> que todo eran encuentros
> fugaces, aquí abajo
> de las luces distantes,
> azares sin respuesta.
> No, ni carnes, ni almas.

Creo que debemos ver en ese farol y luna —en sus luces— un símbolo de los amantes. Distantes, como ellos, sólo fugazmente se encuentran. Es indudable que este poema nos sume en una gran desolación. Precisamente sobre ella quisiéramos insistir. El amor (encuentro de dos seres) es un hecho anormal, un azar que no se sujeta a leyes (normas). La norma es la separación, vivir solo. El encuentro no dura mucho. Triste verdad, que, a veces, el poeta preferiría no saber. Esto nos permite la comprensión de algunos poemas, como, por ejemplo, el que empieza: "No preguntarte me salva" (Voz, p. 189). Mejor no preguntar, viene a decírsenos, desconocer esa verdad del amor (o lo que es lo mismo, de la amada que lo simboliza): a saber, que no parará mucho en nosotros, que son vanos nuestros intentos de apresarlo:

> No preguntarte me salva.
> Si llegase a preguntar
> antes de decir tú nada,
> ¡qué claro estaría todo,
> todo qué acabado ya! (...)
> Te marcharías, entonces.
> Donde está tu cuerpo ahora,
> vacilante, todo trémulo
> de besarme o no, estaría
> la certidumbre: tu ausencia
> sin labios. Y donde está
> ahora la angustia, el tormento,

cielos negros, estrellados
de puede ser, de quizás,
no habría más que ella sola.
Mi única amante ya siempre,
y yo a tu lado sin ti.
Yo solo con la verdad.

Mejor, pues, seguir en donde estamos. Entre apariencias (cuerpos),
que pueden llevarnos por lo menos a dar con lo que buscamos: con
el alma. Mejor seguir luchando a encararse con la verdad definitiva:
que nada ha de quedar finalmente. *No, ni carnes, ni almas.* Sólo la
ausencia nos espera detrás (una ausencia sin labios). La cual, repárese,
se nombra con el pronombre *ella;* como que es —tal se nos dice—
la única amante entonces.

LA SALVACIÓN

Hemos dejado la poesía de Salinas en un abismo de soledad. ¿Es
que no hay modo de sacarla de él? ¿Tendremos que resignarnos a ese
fracaso del amor; es decir, fracaso por alcanzar la eternidad aquí en la
tierra? No, la resignación es la muerte para Salinas (la noche eterna):

la mar, la noche, las conformidades

(RA., p. 253)

¿En dónde está la salvación, entonces? Esta es la pregunta que se
hace el poeta. Sigámoslo en sus versos:

¿En dónde está la salvación? ¿Lo sabes?
¿Vuela, corre, descansa, es árbol, nube?

(RA., p. 212)

El poeta entrevé que la única salvación posible, pese a cuanto se
diga, está en el amor. Pese a la dificultad por lograrlo y, sobre todo
por retenerlo. De ahí la pregunta del segundo verso. Las vacilacione

que este verso expresa, responden a la idea que Salinas —vimos—
tiene del amor. Éste supone la concordancia de alma y cuerpo: de
donde el *descanso* (cese de la tensión entre ellos); pero también se
manifiesta en el *volar* (que en el cuerpo así acordado al alma, así animado, acaece: el cuerpo no pesa entonces); o, en fin, se manifiesta
como *correr* ("El estar de pie, mentira: / sólo correr o tenderse"): es
decir, traducíamos, como movimiento que nos enajena. La salvación,
¿es *árbol* (algo arraigado, que no se mueve) o *nube* (algo volante)?, se
pregunta luego. Puede ser —lo hemos visto— ambas cosas [68].

> ¿Se la coge a puñados, como al mar,
> o cae sobre nosotros en el sueño
> sin despertar ya más, igual que muerte?

[68] No es ésta la única vez que Salinas formula una pregunta, dando a
elegir entre varios términos, que hay que aceptar todos:

> Por eso no se sabe
> de qué profundidad
> viene el amor, lejana,
> si de honduras de cielos
> o entrañas de la tierra.
>
> (RA., p. 237)

Sí, se sabe: viene de ambas profundidades (del cielo —símbolo del alma—
y de la tierra). No hay ningún dilema, sino afirmación de los dos miembros
de la disyuntiva.
Otro ejemplo:

> Nos hemos encontrado
> allí. ¿Cómo, el encuentro? (...)
> ¿Fue un choque de materia
> y materia (...)?
> ¿O tan sencillo fue,
> tan sin esfuerzo, como
> una luz que se encuentra
> con otra luz, y queda
> iluminado el mundo
> sin que nada se toque?
>
> (RA., pp. 220-221)

Fue, diríamos, las dos cosas: un choque de materia y materia (es decir, de
cuerpos) y una luz que se encuentra con otra (es decir, dos almas que se encuentran). Sólo de este doble encuentro surge el amor.

Otra disyuntiva que se resuelve en unidad. La salvación —el amor— se coge a "puñados" (es decir, momentos breves) de la gran extensión del "mar" (de la vida); pero esos momentos, aunque breves, no pueden medirse: se salen del tiempo y espacio, como un sueño sin límites ("sin despertar"). Como la "muerte".

> ¿Nos salvaremos?
> Suelta, escapada va,
> sin que se sepa dónde, si pisando
> los cielos que miramos,
> o bajo el techo que es la tierra nuestra,
> inasequible, incierta, eterna...

Suelta, escapada va. El sujeto del verbo es, claro, "la salvación". Pero el hecho de que se lo calle no nos parece fortuito. (En poesía auténtica nada es fortuito). La salvación, de este modo, pierde bulto, va —diríamos— más suelta, más escapada: escapada, incluso, de su nombre. El sitio que ella deja lo ocupa el verbo en primera persona del plural ("¿Nos salvaremos?"), modulación del sustantivo. La salvación está lejos de nosotros ("suelta, escapada"), pero *nosotros* queremos entrar en relación con ella: queremos salvarnos. Alcanzar ese paraíso donde ella se mueve. Véase que va "pisando los cielos" o "bajo el techo que es la tierra nuestra", en una inversión total de perspectivas, donde el cielo es suelo y el suelo cielo: imagen paradisíaca. El adjetivo "eterna" (destacado en fin de verso) nos sitúa fuera del dominio del tiempo, de modo complementario a como se trastruecan las leyes del espacio.

> Mas lo que sí sabemos es que todo,
> las manos, y las bocas, y las almas,
> ávidas y afiladas,
> persiguiéndola están siempre al acecho
> de su paso en la alta madrugada...

La primera persona inunda, definitivamente, la escena. La inunda de realidades corporales ("manos", "bocas"), que tratan de bajar a ti rra aquella salvación abstracta. De nadie. Que tratan de lograr el paraíso aquí en la tierra. Claro que las "almas" tampoco se olvidan. Todo (cuerpo y alma) debe participar en la salvación. El polisíndeton denota bien la fuerza del deseo. *Ávidas* y *afiladas, acecho,* son, por su parte, palabras de gran cargazón expresiva. La *"alta* madrugada" apunta, como se sabe, a esa cima en que el ser se revela : se hace plenamente existente.

> ...por si cruzase por las soledades
> o por el beso con que se las quiebra.
> Que unas alas
> invisibles golpean...

Quiebra, golpean son palabras que la rima destaca : palabras que expresivamente traducen ese deseo de agarrar la salvación incierta. Inasequible.

> ...animadas, cerniéndose,
> volando a ras de tierra, y son las alas
> del gran afán de salvación constante
> de cuyo no cesar se está viviendo :
> el ansia de salvarme, de salvarte,
> de salvarnos los dos, ilusionados
> de estar salvando al mismo que nos salva.

Animadas, cerniéndose, volando a ras de tierra: lo alto y lo bajo, a materia y el espíritu (los dos polos entre que discurre la poesía de alinas). ¿Se conseguirá el equilibrio —salvación— deseado? Una osa es importante : la palabra "salvación" se sustituye por "afán de alvación". Pero esta sustitución ocurría ya desde que los amantes ntran en escena ("¿Nos salvaremos?"). A partir de entonces hay un ono, que señalamos, bien indicador de un *afán.* Afán que, se ve claro, s amoroso : precisa de otro ser. Nadie se salva a sí mismo.

> Y aunque su hecho mismo se nos niegue
> —el arribo a las costas celestiales,
> paraíso sin lugar, isla sin mapa,

> donde viven felices los salvados—,
> nos llenará la vida
> este puro volar sin hora quieta,
> este vivir buscándola:
> y es ya la salvación querer salvarnos.

Sí, el afán de salvación es la salvación. Ésta —su hecho mismo— podrá negársenos. Podrá negársenos el amor —su realización— como algo normal: el deseo de convertir la tierra en un paraíso ("isla sin mapa"), pero no el deseo de salvarnos. Es decir, el amor como *movimiento* en el sentido scheleriano; movimiento hacia el alma, que rara vez se alcanza, pero que no hace falta tampoco alcanzar. Basta con quererlo, con no resignarse. Eso, eso sólo, es ya la salvación [69].

Pero otro poema nos interesa desde el punto de vista del tema que estamos tratando. El titulado *Salvación por el cuerpo* (el primero con título de los que se incluyen en la segunda parte de *Razón de amor*). Aporta este poema una nueva luz:

> Todo quiere ser cuerpo (...)   (5)
> Los espacios vacíos, el gran aire,
> esperan siempre, por dejar de serlo,
> bultos que los ocupen. Horizontes
> vigilan avizores, en los mares,
> barcos que desalojen
> con su gran tonelaje y con su música
> alguna parte del vacío inmenso
> que el aire es fatalmente;
> y las aves

---

[69] En el poema *Nadadora de noche...* (p. 252) se formula también, aunqu no tan explícitamente, esta idea:

> te quisiste salvar, te estás salvando,
> de la resignación, no de la muerte.

La muerte, la verdadera muerte en vida, es la resignación, de la que sól el amor —al no aceptarla— nos salva.

tienen el aire lleno de memorias.
¡ Afán, afán de cuerpo!

(p. 267)

El "afán de salvación" es ahora "afán de cuerpo". Esos espacios
vacíos que se pueblan de bultos, de barcos, nos recuerdan otros "bu-
ques" (y "ballenas") de un poema de "La voz..." (p. 138), que irrum-
pían también en un paisaje desolado. Y las "memorias", de que el
aire está lleno, son *materia,* como sabemos. De sobra sabemos también
por qué se quiere el cuerpo. Porque éste es el recinto del alma, complemento indispensable de ella. Y ese cuerpo que se quiere es, claro,
el del ser amado. No basta el propio solitario cuerpo.

Porque un cuerpo —lo sabes y lo sé—
sólo está en su pareja (...)
un cuerpo es el destino de otro cuerpo (...)

Encarnación final, y jubiloso
nacer, por fin, en dos, en la unidad
radiante de la vida, dos. Derrota
del solitario aquel nacer primero.

Los versos que siguen, con que el poema termina, cantarán finalmente cómo, una vez encontrado el otro cuerpo, no hay que quedarse
en él, sino traspasarlo. El cuerpo es sólo un medio —aunque impres-
cindible— para alcanzar el amor :

Arribo a nuestra carne trascorpórea,
al cuerpo, ya, del alma.
Y se quedan aquí tras el hallazgo
—milagroso final de besos lentos—,
rendidos nuestros bultos y estrechados,
sólo ya como prendas, como señas
de que a dos seres les sirvió esta carne
—por eso está tan trémula de dicha—
para encontrar al cabo, al otro lado,

su cuerpo, el del amor, último y cierto.
Ese
que inútilmente esperarán las tumbas.

Los cuerpos (mortales) que se abrazan, dan nacimiento a un nuevo cuerpo: el del amor, que es inmortal. Éste es el que nos salva. La salvación por el cuerpo es, realmente, una salvación por el amor [70]. Pero entendámonos. No, como antes, por el amor en cuanto movimiento (afán de salvación), sino por el amor consumado; es decir, los instantes en que el encuentro de dos seres se produce, los cuales, aunque breves, están más allá del tiempo. De la muerte. Si la amenaza, la gran amenaza del hombre, es la muerte —la limitación temporal—, se ve que sólo el amor puede vencerla; sólo en nuestro amor podemos sobrevivirnos. O, lo que es lo mismo, salvarnos [71].

---

[70] Es curioso que Baader, que advirtió correctamente el carácter ni puramente concreto ni puramente conceptual de la amada, y señaló la semejanza con Scheler, vea ahora surgir esta afirmación del cuerpo como algo nuevo, de lo cual no hay ejemplos en *La voz...* (si se exceptúa, según él, el poema final): Die spiritualisierte Liebe ist nur eine Seite des "amor mixtus" in höfischen Sinne, "que no prescinde de la satisfacción carnal completa" (...) Während das "Poema" [*La voz a ti debida*] eine der beiden Hälften zugunsten der anderen ausscheiden wollte, ist nun das Recht beider von Anfang an und nicht wie in "Voz" erst schliesslich und eigentlich unfreiwillig, contre cœur respektiert (...) Die höchste Aspiration der Liebe geht eine Verbindung mit der niedrigsten, der des physischen Besitzes der Geliebten ein. Die Anknüpfung an das letzte Gedicht aus "Voz" ist deutlich; aber wir dürfen nicht vergessen, welcher Abstand Beginn und Ende dieses "Poema" voneinander trennt. Gerade das, was Salinas' Liebenspoesie zunächst nur verneinte, nur als zerstörende Macht sah, ist jetzt in "Razón" als Rettung gesehen: "ansia de ser cuerpo; Todo quiere ser cuerpo, cumplirse en la materia; ¡Afán, afán de cuerpo!; Se busca oscuramente sin saberlo / un cuerpo, un cuerpo, un cuerpo" (*Ob. cit.*, pp. 189-191). Pero la salvación por el cuerpo lo es sólo en el sentido de que el amor —que es la verdadera salvación— precisa del cuerpo. Y esto es algo que siempre, desde el principio, ha sido así. El hecho de que el cuerpo, en algunos momentos, pueda sentirse como un obstáculo —a causa de su cambio incesante—, que se interpone en el camino del alma, no altera aquella afirmación. Cuerpo y alma son, si se quiere, enemigos, pero se necesitan mutuamente.

[71] La limitación del amor (en cuanto a su brevedad), en la poesía de Salinas, se inscribe, creo, en la limitación —más amplia— de todo lo humano: de la vida toda. Es decir, que incluso el amor más duradero está amenazado

USO DE LOS PRONOMBRES Y
ADVERBIOS DEMOSTRATIVOS

En lo que se refiere al aspecto estilístico, no debemos pasar por alto, en el poema que acabamos de ver, la presencia, solo en un verso, del demostrativo *ese*. Su fuerza deíctica adquiere así relieve inusitado, como si el cuerpo del amor, a que alude, se hiciera en cierto modo tangible. El demostrativo es como un asa con que pudiera agarrarse al sustantivo. Su función es aquí, pues, la de concretar más virogosamente aún ese amor (idea) hecho cuerpo. El cual no se difumina entonces en ninguna vaguedad. La sed de precisión —de cuerpo— que Salinas tiene, le lleva a repetir este uso, tan expresivo, del demostrativo una y otra vez. Algunos ejemplos:

> *Eso*
> era lo que allá, distante,
> estaba viendo brillar.
>
> (Voz, p. 166)

La puesta en realce del demostrativo puede ocurrir también por su colocación en fin de verso:

> la amada más distante,
> la más última, *esa*...
>
> (Voz, p. 189)

Esa es aquí la amada verdadera (esencial), que la meramente existencial trata de encubrir.

> ...la ansiada
> forma de vivirse, *esa*...
>
> (RA., p. 217)

---

por la extinción. La extinción de los humanos que le ofrecen (para que nazca) sus cuerpos. Si bien, como acabamos de ver, de estos cuerpos el amor se crea el suyo inmortal.

> Si tú supieras que *ese*
> gran sollozo que estrechas
> en tus brazos, que *esa*
> lágrima que tú secas...
>
> (Voz, p. 196)

En este segundo ejemplo, estamos no ya en el caso de una referencia anafórica, como en los anteriores, sino de una mención directa
(evocativa), de la que dice Salvador Fernández: "la intención del que
habla se dispara al plano ausente y se traba con su objeto en el lugar
en donde lo sitúa la fantasía" [72]. Es un caso en que el demostrativo
entra en competencia con el artículo. La preferencia por el primero,
entonces, aun cuando no aparezca en posición llamativa, tiene también interés. Veamos ejemplos:

> sino con *esas* manos que no alcanzo
> a coger con las mías, tan distantes.
>
> (Voz, p. 156)

> Di, ¿no te acuerdas nunca
> de *esa* forma perdida,
> vaga, de tu pasado (...)?
>
> (RA., p. 227)

> No quiero separarme
> de *esa* gran traspresencia de ti en mí...
>
> (RA., p. 242)

> beso será, se encontrarán en beso,
> dado por *esos* labios ardorosos
> que se llaman la ausencia, cuando acaba.
>
> (RA., p. 246)

---

[72] *Gramática española*, Rev. de Occidente, Madrid, 1951, p. 249. Claro
que también podría interpretarse este caso como de deixis *ad oculos*, dirigién-
dose a una amada presente, a cuyo dolor, aquí y ahora, aludimos.

> pero laten tus pasos
> en todas *esas* vagas
> sombras de ruido, tenues...
>
> (RA., p. 249)

> y que el solo camino
> es *ese* que hay que abrirse
> con el alma y las manos...
>
> (RA., p. 282)

Se observará que en, todos estos ejemplos, el pronombre parece querer dar consistencia (cuerpo) a las cosas, lejanas o ideales, que adjetiva: manos distantes, pasado, traspresencia, ausencia, sombras, camino del alma.

Claro que también puede referirse a un ser corporal —presente—, cuya corporeidad acentúa de tal modo.

> Por eso existen pechos, y en el pecho
> *esa* tabla del pecho dura y lisa...
>
> (RA., p. 276)

> una diosa humillada se retuerce,
> toda enemiga de la carne *esa*...
>
> (RA., p. 290)

En este último ejemplo, como vemos, hay una doble indicación artículo y demostrativo). En él, y en el anterior, la referencia al cuerpo s positiva; pero puede ser negativa, y el pronombre, entonces, desaca la pesantez de ese cuerpo insuficiente (la pesantez de la materia in alma):

> *esas* formas cansadas de *este* mundo...
>
> (RA., p. 283)

Con doble indicación demostrativa aquí.

A todos estos casos de mención evocativa, podrían añadirse aquelos intermedios entre la evocación y la anáfora:

Y así cuando te ardiste en otra vida,
en *ese* llamear tu luz nació...

                              (RA., p. 218)

Y a la luz del oir, en *ese* ámbito
que los ojos no ven...

                              (RA., p. 239)

en la alta madrugada, *ese* paisaje...

                              (RA., p. 269)

El término a que, anafóricamente, se refiere el pronombre, está sustituido en todos los casos por otro metafórico. El pronombre vigoriza esa metáfora : le da concreción.

No hemos mencionado más que ejemplos con el pronombre *ese*. Son, en efecto, los más frecuentes. Pero también los pronombres *este* y *aquel* aparecen con el mismo valor :

Sus pies pisaban el suelo
este que todos pisamos.

                              (Voz, p. 135)

Se destaca el suelo —el cuerpo—, como soporte del milagro de amor acontecido en él.

ni en *este*
mundo descolorido...

                              (Voz, p. 165)

Pesantez del mundo en que vivimos. Falta de alma.

esto que nada es, *esto* que vive
en tierna primavera distraída (...)
y *esta* gran soledad
de bocas solas con sus almas solas,
beso será...

                              (RA., pp. 245-246)

En *esta* luz y no en luces soñadas,
en *esta* misma luz en donde ahora
se exalta en blanco el hueco de su ausencia,
ha de lucir su forma decisiva.
(RA., p. 288)

Deseo de concretar, dar forma o soporte a lo que aún no la tiene.
Ejemplos con *aquel:*

aquel rosado bulto que tú eras...
(RA., p. 269)

El demostrativo resalta ese bulto tanto como el adjetivo *rosado.*

que no hay otras moradas sino *aquellas*
que en la sangre encontramos, invisibles...
(RA., p. 282)

La invisibilidad se atenúa por el fuerte señalamiento del pronombre.

El mismo sentido que los pronombres tienen, como es fácil suponer, los adverbios demostrativos, los cuales abundan en la poesía de Salinas, y —lo que es más importante— acompañados normalmente de otra indicación de lugar. El *donde,* como soporte material del amor (que sin él no puede existir), o como expresión de los límites que al espacio nos atan, se refuerza así extraordinariamente:

allá lejos, y *allí...*
(Voz, p. 155)

la voz, *allí,* en la máquina...
(Voz, p. 163)

allí en plena luz...
(RA., p. 254)

Allí, en la oscura noche...
(RA., p. 269)

cuando te tengo *aquí*
y te miro a los ojos,
y el alma *allí* te luce ...

(RA., p. 275)

y *aquí* en mi amor te escondo.

(RA., p. 276)

El realce del adverbio puede aún ser mayor, como en este ejemplo :

Aquí
en esta orilla blanca...

(RA., p. 231) [73]

---

[73] A estos casos de insistencia en el *donde,* hay que añadir los de insistencia en el *cuando:*

Podemos acercarnos
hoy a lo que no habla (...)
Seguros por un día
—*hoy,* nada más que *hoy*—...

(Voz, p. 149)

Y en la más oscura noche,
cuando
desde otra orilla del mundo...

(RA., p. 226)

Se alude, en ambos casos, al momento (perfectivo) en que el amor surge,
interrumpiendo la línea imperfectiva del tiempo-eternidad. Pero también puede aludir a este tiempo, en cuyas mallas estamos presos :

Las almas que eran flores,
desterradas por siempre,
ahora,
a un destierro de campos.

(RA., p. 229)

Siempre la misma doble significación de los límites (espacio-temporales). Son
algo que nos ata, pero que, a la vez, sustenta al amor; le da forma.

Pero aún podríamos incluir aquí aquellos casos en que un sustantivo (de cosa concreta) se planta solo en un verso. Es también una afirmación del cuerpo. Del cuerpo de la amada:

> Su traje
> se parecía a esos otros
> que llevan otras mujeres.
> Su reló
> destejía calendarios...
>
> (Voz, p. 135)

El sustantivo —solo— pone en relieve aquello que es fundamento (material) del amor:

> nuestra dicha, nuestro amor,
> *nuestra tarde.*
>
> (RA., p. 254)

La tarde —única, inconfundible— en que el amor se hizo realidad.

O bien el sustantivo da forma a lo que no la tiene: la ausencia:

> por la ausencia, ese largo
> *rodeo*
> que das para volver.
>
> (RA., p. 250)

Véase que el demostrativo también presta su colaboración aquí.

En fin, el uso del verbo *estar* —destacado por algún medio—, con u significación de situación local, procedente del *stare* latino, es un rocedimiento que añadir a los que estudiamos. Lo habíamos visto ya, on esta significación, como representante de una quietud, que se ponía al cambio. Se comprende fácilmente que, sin abandonar tal entido, tiene también el de poner en primer plano la presencia de un ierpo:

los cuerpos y las rocas
—desde cenit total
mediodía absoluto—
estaban
viviendo de la luz...

                                        (Voz, p. 151)

a un gran fondo azaroso
que irresistiblemente
está
cantándonos a gritos...

                                        (Voz, p. 153)

El "gran fondo azaroso" se concreta (adquiere bulto) por medio
del "está". Se advertirá que es el hecho de aislar el verbo, desligándolo
de la perífrasis que con el gerundio forma, lo que le permite recobrar
su valor etimológico [74].

Un último ejemplo, donde la repetición da toda su fuerza al procedimiento:

lo que se quiere cerca
está al alcance del querer, cerquísima,
como *está* el ser amado cuando *está*
su respirar, el ritmo de su cuerpo,
al lado nuestro, aunque sin verse.

                                        (RA., p. 248)

Véase que el *está* aparece junto al cuerpo. El verbo subraya la
presencia inconmovible del cuerpo. La repetición del posesivo *su* sigue
la misma línea de sugestión [75].

_____

[74] El extraordinario acortamiento del verso le otorga también una especia
pesadez, según dijimos ya en el caso de "como ballenas" (V. la nota 27 de l
página 120).

[75] Pero, como efecto contrario, véase el producido por el último verso. E
un eneasílabo que, en relación con los endecasílabos anteriores, parece reco
gerse medroso. Señala un cambio de rumbo. La oscuridad —el "sin verse"–
proyecta su halo inquietante sobre la firme presencia descrita. No era ta
firme, como comprobamos si seguimos leyendo.

LAS SOMBRAS

Como recapitulación de cosas que llevamos dichas, ahora que nuestro estudio sobre los libros centrales del poeta toca su fin, quisiéramos
esclarecer un tema que, más de una vez, nos sale al paso. El tema de
las sombras. Aquí también la dificultad reside en que hay que hacer
frente a una doble significación contrapuesta que las sombras tienen.
Éstas, como al principio de *La voz a ti debida* veíamos (recordemos que
el poeta era allí una sombra), no son sino los seres humanos —o más
aún, los seres todos del mundo—, quienes, inconsistentes, cambiantes,
se les asemejan. Como las sombras, los seres vivos no se dejan atrapar:
hoy están aquí, mañana allí. Como las sombras, son apenas reales,
apenas existen; hueste inmensa de muertos en vida.

> ¡Qué cuerpos leves, sutiles,
> hay, sin color,
> tan vagos como las sombras,
> que no se pueden besar
> si no es poniendo los labios
> en el aire, contra algo
> que pasa y que se parece!
>
> (Voz, pp. 203-204)

Comienza así un poema, hacia el fin de *La voz a ti debida* (donde, principalmente, se acumulan los poemas de sombras). Obsérvese
que el verbo "se parece" no va acompañado de complemento (se parece a *ellos,* a los cuerpos; se *les* parece). Se obtiene así una ligereza
que es como la de las sombras a que esos cuerpos se ven reducidos. La
gramática colabora en este proceso de reducción.

> ¡Y qué sombras tan morenas
> hay, tan duras
> que su oscuro mármol frío
> jamás se nos rendirá
> de pasión entre los brazos!

Lo mismo da decir que los cuerpos son sombras o que las sombras son cuerpos. De lo que se trata es de que el alma no aparece por
ningún lado. Ser una sombra es eso: no tener alma. Vivir sin amor.
Dureza ("mármol frío") es, aquí, sinónimo de desamor, no de consistencia.

> ¡Y qué trajín, ir, venir,
> con el amor en volandas,
> de los cuerpos a las sombras,
> de lo imposible a los labios,
> sin parar, sin saber nunca
> si es alma de carne o sombra
> de cuerpo lo que besamos,
> si es algo! ¡Temblando
> de dar cariño a la nada!

Inquietante final. ¡No saber si llegamos al alma —al alma del ser
amado— o nos quedamos meramente en su cuerpo: su cuerpo que no
es más que sombra! La frase, que es acelerada, y en la que el encabalgamiento de los versos traduce la angustia del ir y venir, se detiene
de pronto, a mitad del penúltimo verso. Aquí, la rima interna (*a- o*)
refuerza aún la pausa, la prolonga. Es que el temor dificulta el avance.
Véase, además, que la palabra *Temblando* queda aislada, sin sostén:
literalmente temblando. También la rima, junto con la posición en el
verso (antes de pausa), pone de relieve las palabras *labios, besamos,
algo,* que se contraponen a la *nada* final. ¿Algo o nada? ¿Vida o
muerte? Esa es la terrible pregunta.

Pero el poema que sigue a éste, muestra una versión más optimista
del tema de las sombras:

> ¿Y si no fueran las sombras
> sombras? ¿Si las sombras fueran
> —yo las estrecho, las beso,
> me palpitan encendidas
> entre los brazos—
> cuerpos finos y delgados,
> todos miedosos de carne?
>
> (Voz, p. 204)

Lo que diferencia a este poema de otros de Salinas, es que aquí no se parte de un cuerpo (que hay que animar) o de un alma (que ha de encarnar en un cuerpo), sino que faltan tanto uno como otra. ¿Se parte entonces de la nada? Eso sería mucho decir : las sombras son, en realidad —como sabemos—, cuerpos; si bien cuerpos en los que se adivina su ser precario, transitorio : cuerpos al borde de la nada. Olvidamos, entonces, que allí pueda habitar un alma. Esto es lo que va a recordarnos el poema. Pero, para dar con el alma, hay que dar antes con el cuerpo (donde las almas habitan). Hay que ver esos cuerpos como tales, albergadores posibles de un alma, no como sombras. En este intento de salir de la inconsistencia de las sombras, la rima juega un importante papel. Estructura los versos, introduce un principio arquitectónico, como otra vez dijimos, sugeridor de la forma —cuerpo— que a las sombras se quiere dar. Son tres las rimas que advertimos : "estrecho / beso", "palpitan / encendidas", "brazos / delgados". Se ve, además, que las palabras que la rima realza aluden todas a realidades corporales. No se pase por alto tampoco el *yo* enfático del tercer verso ("*yo* las estrecho, las beso") : otra forma de dar consistencia. En fin, el último verso ("todos miedosos de carne") es el único que se aparta, que se libera de la sujeción de la rima. La cosa se explica. Una segunda fase —en que de los cuerpos pretenderá sacarse el alma que ocultan— va a comenzar. Los cuerpos, entonces, pierden rigidez (como el edificio del Escorial, en el poema *Jardín de los Frailes*): la rigidez que viene sugerida aquí por la rima (algo que arquitectura, que sujeta). Pierden rigidez y se ponen a temblar (como el *cuerpo* del Escorial). El adjetivo "miedosos" apunta a esa idea de temblor, de algo que se agita [76].

> ¿Y si hubiese
> otra luz en el mundo
> para sacarles a ellas,
> cuerpos ya de sombra, otras

---

[76] Obsérvese que, de las tres rimas citadas, la segunda ("me palp*i*tan en-
c*e*nd*i*das") es, evidentemente, la menos notoria. Como que puede relacionarse
verso, por su significado, con este último tembloroso.

> sombras más últimas, sueltas
> de color, de formas, libres
> de sospecha de materia;
> y que no se viesen ya
> y que hubiera que buscarlas
> a ciegas, por entre cielos,
> desdeñando ya las otras,
> sin escuchar ya las voces
> de esos cuerpos disfrazados
> de sombras, sobre la tierra?

Estas "otras sombras más últimas" no son sino las almas, objeto final de nuestra pesquisa. Véase cómo quedan en fin de verso, y precedidos de pausa, los adjetivos "otras", "sueltas", "libres". Esta posición los suelta, los libera más, independizándolos hasta cierto punto del contexto. Los adverbios *ya*, en número de cuatro, son como jalones que van señalando el avance de una conquista. Por último, la posición final, unida al hecho de soportar la rima *e- a*, destaca las palabras "materia" y "tierra": destaca los cuerpos, la realidad primeramente aludida y habitáculo de las almas (de las "otras sombras").

Se nos revela, pues, un sentido positivo de las sombras. Éstas no son ya cuerpos, en lo que los cuerpos tienen de transitorios, de fugaces, sino justamente lo contrario: una evasión de la fugacidad de los cuerpos. Semejantes, por eso, al alma. No nos extraña entonces que un poema pueda empezar de tal modo:

> Me estoy labrando tu sombra.
> La tengo ya sin los labios,
> rojos y duros: ardían.
>
> (Voz, p. 190)

Ese *ardor* de los labios es símbolo de lo que cambia, de lo que no se está quieto; que hay que abolir por tanto [77].

---

[77] Un poema de *Seguro azar* (*Sí reciente*, 39) mostraba ya un análogo sentimiento:

Pero es interesante observar, en este poema, cómo la reducción del cuerpo a su sombra no se verifica sin pena. La cual no procede de sentir el cuerpo como valioso, en cuanto continente del alma, sino en cuanto bello. Valioso, pues, en sí mismo:

> Así
> mi amor está libre, suelto,
> con tu sombra descarnada.
> Y puedo vivir en ti
> sin temor
> *a lo que yo más deseo,*
> *a tu beso, a tus abrazos* (...)
> *¡Yo, que los quería tanto!*
> Y estrechar sin fin, sin pena
> —mientras se va inasidera,
> *con mi gran amor detrás,*
> *la carne por su camino—*
> tu solo cuerpo posible:
> tu dulce cuerpo pensado.

Es el amor carnal, puramente carnal, el que, aunque para rechazarlo, irrumpe aquí tentador. Todo el poema está construido a base

> No te quiero mucho, amor.
> No te quiero mucho. Eres
> tan cierto y mío, seguro,
> de hoy, de aquí (...)
> cómo te voy a querer,
> amor,
> ardiente cuerpo entregado,
> cuando te vuelvas recuerdo,
> *sombra* esquiva entre los brazos.

Está claro. El amor es cierto, seguro, pero de hoy, de aquí, y su evidencia e hoy no garantiza su continuidad, el mañana. Siempre el mismo temor. Con a él, refugiémonos en el recuerdo: ya está el amor a salvo. Sin el cuerpo, *diente* cuerpo entregado, desaparece el miedo de perderlo, de que el tiem » —que va a venir— nos lo robe. Se ve que el recuerdo tiene también una nción positiva, y no sólo la negativa que habíamos dicho. Todo depende, turalmente, de la importancia que, en un momento cualquiera, se dé al cuer ». Éste puede ser un disfraz o algo temible, pero es también algo necesario.

de la altercación de elementos eróticos (que subrayamos) y "espiritua-
les". Recuerda a los conocidos versos de Rubén Darío: "y la carne
que tienta con sus frescos racimos / y la tumba que aguarda con sus
fúnebres ramos". Salinas, en su libro sobre el gran poeta nicaragüense,
dice de ellos: "versos literalmente desgarradores" [78]. Lo mismo son
estos otros de Salinas, donde se sienten las dolorosas sacudidas de la
carne, al arrancársela. Pero no había otro remedio, si queríamos salvar
la duración del amor, herido de muerte. Sólo así puede vivir el poeta
"sin temor" [79].

El solo cuerpo posible de la amada es, pues, su cuerpo pensado.
Posible quiere decir capaz de ser estrechado "sin fin". A salvo del
tiempo. Adviértase, sin embargo, la presencia del adjetivo *dulce,* que
compensa lo que de excesivamente abstracto pueda haber en ese "cuerpo pensado". "Tu dulce cuerpo pensado" es una de esas condensacio-
nes salinianas que ofrecen al lector una fruición a la par sensorial e
intelectual.

De todos modos, y aun con las salvedades indicadas, este poema
podría dar pie para hablar de eso que, con frase de la época, se ha
llamado un "arte deshumanizado". Nosotros sabemos que no hay tal.

---

[78]   *La poesía de Rubén Darío,* p. 168.
[79]   El ejemplo no es único en Salinas. Otros poemas muestran contradicción
entre el *afán* (de llegar a la esencia) y el *deseo* (de quedarse en el cuerpo hermoso):

> te me ofreces en los labios (...)
> Y me truecas el afán
> de seguir más hacia ti,
> en deseo
> de que no me dejes ir
> y me beses.
>
>   (Voz, p. 188)

También en el poema *Distánciamela, espejo...* (Voz, p. 187), podemos leer :

> Quítale esa delicia
> del ardor y del bulto...

Lo que se quiere abolir (el cuerpo) es sentido como delicioso.
Recuérdese aún el poemita *Valle* (SA., 19), ya comentado (V. pp. 49-51).

Que la sombra, como el alma, es inseparable del cuerpo; no puede vivir sin él. Aunque pueda, como en este poema, sentírselo como temible, y por eso se desee suprimirlo, habrá siempre que volver al cuerpo que otro ser nos ofrece. Es necesario. El poema final de *La voz a ti debida* hablará de esa situación de las sombras solas, sin cuerpo, que en él anhelan encarnar. Se restablece así la unidad:

> ¿Las oyes cómo piden realidades,
> ellas, desmelenadas, fieras,
> ellas, las sombras que los dos forjamos
> en este inmenso lecho de distancias?
> Cansadas ya de infinidad, de tiempo
> sin medida, de anónimo, heridas
> por una gran nostalgia de materia,
> piden límites, días, nombres.
>
> (Voz, p. 205)

El pronombre personal *(ellas)* humaniza a las sombras: les confiere —en el plano gramatical, al menos— esa realidad (de carne y hueso) que se pide. Nótense, además, dos cosas: que el pronombre se repite, con lo que su fuerza se duplica también, y que antecede al sustantivo *sombras,* a que se refiere. También anteceden al sustantivo los adjetivos "desmelenadas" y "fieras", los cuales normalmente aplicamos sólo a personas (o a animales). Se crea, pues, todo un clima propicio a la aparición de un ser de carne y hueso.

> Que descansen en ti, sé tú su carne (...)
> Se dormirán al fin en nuestro sueño
> abrazado, abrazadas.

Son las sombras las que se abrazan, ocupando de tal modo el lugar de los cuerpos. La cuasi repetición ("abrazado, abrazadas") insiste en ese aspecto corporal, que denodadamente quiere crearse.

> ...Y así luego
> al separarnos, al nutrirnos sólo

de sombras, entre lejos,
ellas
tendrán recuerdos ya, tendrán pasado
de carne y hueso,
el tiempo que vivieron en nosotros.
Y su afanoso sueño
de sombras, otra vez, será el retorno
a esta corporeidad mortal y rosa
donde el amor inventa su infinito.

La "corporeidad", con el demostrativo *esta* y la doble adjetivación (*mortal* y *rosa*) se acentúa bien. Está bien presente. El adjetivo *mortal* contrasta, de modo expresivo, con el *infinito* que ese ser mortal crea. Aquí, en el tiempo y espacio que vivimos —en nuestra carne—, aquí sólo, hunde el amor sus raíces. El amor que nos salva.

EL CONTEMPLADO, TODO MÁS CLARO, CONFIANZA

INTRODUCCIÓN A LA POESÍA
DE LOS TIEMPOS NUEVOS

Entre 1936, fecha de la aparición de *Razón de amor*, y 1946, fecha de *El Contemplado,* Salinas no publica ningún libro. ¿Qué ha ocurrido en este espacio de tiempo? La guerra civil ha asolado España y, poco después de ella, una guerra de más vastas proporciones ha invadido el mundo entero. La trascendencia de estos hechos es tan grande que, por lo que a literatura se refiere, cabe hablar —y así se hace en efecto— de una literatura de preguerra y otra de posguerra. Una nueva sensibilidad va a expresarse ahora. ¿Cuál? Carlos Bousoño ha definido la característica a su juicio más importante de la poesía española de los nuevos tiempos: el *realismo.* Por poesía realista entiende Bousoño una poesía *afectivo-conceptual* [1]. Esta definición, que juzgamos acertada, nos interesa mucho aquí, porque tiene cuenta del triple carácter imaginativo-afectivo-conceptual del poema (que formulamos al principio de este estudio). Dijimos, hablando de los libros primeros de Salinas, que su visión del mundo era —si se exceptúa, en parte, *Presagios*— predominantemente imaginativo o sensóreo-conceptual. Tal modo de ver —o reflejar— la realidad, que Salinas comparte

---

[1] V. Carlos Bousoño, *ob. cit.,* pp. 87-93.

con los poetas de su tiempo (agrupados en torno a la figura señera de Juan Ramón), persiste aún en sus libros centrales: *La voz a ti debida* y *Razón de amor*. Pero la afectividad (esa vena de temor, denunciada por nosotros: temor ante el cambio, que destruye cuanto existe) penetra ya considerablemente esos libros. Poesía temblorosa, repitámoslo, que revela al hombre entero. Gran poesía, por tanto. Si bien el temor, el temblor, se nos muestra tras una exuberancia imaginativa y una retorsión, extremada a veces, de los conceptos (que no oscurece, sin embargo, la lucidez de la creación; sólo dificulta su entendimiento). En los libros que van a ocuparnos —*El Contemplado, Todo más claro, Confianza*—, el corazón no tiene ya tanto escrúpulo en manifestarse. Paralelamente, la carga imaginativa del poema disminuye. Esto produce una consecuencia de interés. La comprensión de la poesía se facilita. Ello es así porque, como Antonio Machado ya había advertido, los sentimientos son, junto con los conceptos (pero más aún, diríamos), los medios esenciales de comunicación entre los hombres. La poesía imaginativa, cuyo ejemplo más puro y más alto, en nuestra literatura, es Góngora, no nos conquista (o no se deja conquistar) tan fácilmente [2].

Pero cabría apurar nuestra distinción. Si los libros de posguerra de Salinas se diferencian de los anteriores por una mayor preponderancia del elemento afectivo, hay que decir que uno de ellos (*Todo más claro*) participa aún en medida superior que los otros dos (*El Contemplado* y *Confianza*) de este carácter. Para pensar así, entendemos la *afectividad* como vinculada estrechamente a la anécdota (es decir, a una deformación literaria menor de la realidad, que encuentra su lenguaje más cerca del lenguaje hablado, o, si se quiere, del lenguaje de la prosa) y como vinculada a un momento explícito en el tiempo, desde el que canta el poeta, con conciencia de que ese momento es pasa-

---

2 En Salinas, la dificultad de sus libros proviene no sólo de este hecho, sino también de la singular complejidad y riqueza de su pensamiento (que a veces, como vimos, reviste una apariencia contradictoria). Es el suyo un caso, coincidente en esto también con otros de nuestro tiempo, de asimilación de la poesía a la filosofía, y de dificultad derivada de esta asimilación, que en ninguna época anterior se había dado tan intensamente.

jero. *Palabra en el tiempo* es la poesía entonces, según la famosa expresión de Antonio Machado (quien, como ya dijimos, llevó a cabo esta asimilación que aquí hacemos de lo temporal y lo afectivo) [3].

A este respecto, son muy interesantes unas palabras del *Prefacio* que acompaña a los poemas de *Todo más claro*. Allí leemos: "Son unos poemas más que juntar a los que escribí. Van a donde todos, en busca del lector, en recuesta de alma, a ganarse su vida, o a perderla, si no tienen con qué. Es la jugada de siempre, la de las palabras temporales en el tapete verde del tiempo, contra el tiempo banquero; la sentida y designada, en diversos tonos, por dos grandes maestros de todos: Miguel de Unamuno y Antonio Machado" (p. 334).

Estas líneas demuestran una preferencia, que viene a coincidir con la de los poetas jóvenes; es decir, los poetas surgidos después de la guerra o en los años inmediatamente anteriores. La poesía española ha cambiado su rumbo. No es el norte ahora Juan Ramón Jiménez, sino Machado y Unamuno. No Góngora, sino Quevedo. Una cita de este último aparece, no casualmente (junto con otra de Machado), al frente del poema culminante —*Cero*— de *Todo más claro*.

Pero hemos soslayado una pregunta esencial. Hemos hablado de un cambio en la sensibilidad poética española —o sea, en la proporción de los elementos del complejo imaginativo-afectivo-conceptual—, que afecta, creemos, a nuestro poeta. Nuestro estudio reposa, sin embargo, en la afirmación de que hay una idea central que articula los poemas de Salinas. Debemos preguntarnos entonces si, con los cambios sobrevenidos, esta idea ha variado. Nuestra respuesta es no. La idea sigue en pie (aunque con una distinción, que diremos, en un número importante de poemas). Sólo cambia su formulación o, si se quiere, su revestimiento: su necesario revestimiento, puesto que las ideas, por sí solas, no constituyen poesía.

---

[3] Por supuesto que ninguna de estas dos características produce *emoción*, la calidad poética falta. Pero ésta, por sí sola, no basta tampoco para incluir una poesía en la calificación, que aquí hacemos, de *emotiva*. La poesía de Góngora, por ejemplo, caso altísimo de calidad poética, no es emotiva (son otras las zonas de la sensibilidad que remueve).

El Contemplado es un libro de unidad temática total. *Tema con variaciones* lo subtitula, en efecto, su autor. El Contemplado es el mar de Puerto Rico, como sabemos por la dedicatoria del libro. A este mar contemplado se dirige el poeta, una y otra vez, en quince composiciones. El tono es el de diálogo; es decir, el tono habitual en Salinas, cuyo relieve ya hemos destacado [4]. El mar se personaliza de tal modo. No es un objeto frío, inerte —o que, en el mejor de los casos, sólo admiración, por su belleza, podría despertar—, sino un objeto *animado*. Su relación con el poeta —con el alma del poeta— es a lo que, precisamente, apunta el título: el contemplado supone un alguien que lo contemple. Pero hay que insistir aún en el carácter *activo* de esta contemplación. No se trata de un objeto con el que, por así decir, choquen nuestros ojos. No. Es una mirada ahondadora —y permanente—, una mirada amorosa, la que aquí existe. Sólo a ella se revela el nombre del mar, tal como es (no "el que todos le llaman"):

> De mirarte tanto y tanto (...)
> te he dado nombre; los ojos
> te lo encontraron, mirándote [5].

---

[4] Este tono hay que incluirlo también dentro de la corriente afectiva de la poesía de Salinas. Vimos que aparecía ya en sus primeros libros. Pero allí los diálogos tenían lugar, con frecuencia, entre el poeta y un objeto mecánico (bombilla, automóvil), cuya inánime presencia —por más alma que se le adjudicara— no dejaba de producir una impresión muy poco sentimental. Con mayor razón aún, en los casos en que el poeta no intervenía, limitándose, por así decir, a ser un mero espectador (diálogos del calor y los termómetros, de asfalto y las golondrinas), la comunicación afectiva se hacía difícil. La *objetivación* era entonces máxima. (Machado, en casos como éste, hablaba de la "frialdad de lo objetivo"). Ahora, en *El Contemplado*, el poeta dialoga con el mar. El mar es ya otra cosa. Una tradición literaria de siglos nos ha habituado a su compañía. ¡Cuántos solitarios, de todos los tiempos, no se han dirigido a él, como a una persona! La espita de la afectividad puede, entonces, abrirse

[5] *Tema*, p. 297.

Dativo ético: *"te lo encontraron"*, que refuerza el tono de diálogo, el tono afectivo.

¡ Si era fatal el llamártelo !
¡ Si antes de la voz, ya estaba
en el silencio tan claro!
¡ Si tú has sido para mí,
desde el día
que mis ojos te estrenaron,
el contemplado, el constante
Contemplado!

El nombre, pues, surge como resultado de un *hacer*, no como algo hecho (objetivo). Hacer que pone en relación dos seres. Repitámoslo: diálogo, no ensimismamiento (ni del mar ni del poeta). Pero que el nombre sea subjetivo no quiere decir que no estuviera en el objeto. Nosotros lo descubrimos, pero no lo inventamos. No es de un ser nuevo, aparte, de lo que se trata, sino del mismo ser visto en su esencia. El nombre, como se advierte, es en todo equiparable al alma.

Otro poema (*Variación III. Dulcenombre*) aportará nuevos datos:

Desde que te llamo así,
por mi nombre,
ya nunca me eres extraño.

(p. 301)

Mi nombre es el tuyo, por supuesto, pero yo te lo descubro: por eso es *mío*. Así leemos versos después:

Pero tengo aquí en el alma
tu nombre, *mío*...

La doble, y aparentemente contradictoria, indicación posesiva, muestra bien el *entrañamiento* producido. Los límites (entre lo *mío* y *tuyo*) desaparecen: dos almas se comunican.

Pero el *hacer* del poeta debe encontrarse en justa reciprocidad, según sabemos, con el *hacer* de lo amado. No otra cosa sino *hacer* —dijimos— es el alma: manantío que no cesa. Por eso, el mar se ve, no encalmado, sino en constante dinamismo:

> Pero tú nunca te quedas
> arrobado en lo que has hecho;
> apenas lo hiciste y ya
> te vuelves a lo hacedero [6].

El amante, podría muy bien titularse este poema. Es, sin duda, el aspecto dinámico del mar (su romper incesante de olas, que se hacen y deshacen) el gran motivo de seducción que a Salinas ofrece:

> Blancas vislumbres, flores fugacísimas
> florecen por las campas
> de otro azul. Si una espuma se deshoja,
>   —pétalos por la playa—,
> se abren mil; que el rosal de donde suben
> es rosal que no acaba [7].

Así como el movimiento (sin fin) de la vida cotidiana era, en el fondo, una quietud —la quietud de la muerte—, así ahora, invirtiendo la perspectiva, podemos decir que la quietud (del amor, que el mar simboliza ejemplarmente) es, en el fondo, un movimiento. Ello por el carácter *sin fin* del movimiento, que lo transforma en algo eterno: en una quietud. Lo que no hay que perder nunca de vista es que son dos las quietudes (o eternidades), que son dos los movimientos. Salinas intenta reemplazar una cosa por otra: la quietud (de la vida diaria: muerte) por el movimiento del amor, o el movimiento de aquella por la quietud de éste. Es decir, en el fondo, aquella quietud por esta quietud, aquel movimiento por este movimiento.

---

6 *Variación XI. El poeta*, p. 317.
7 *Var. II. Primavera diaria*, p. 300.

Y la *forma* del poema refleja, yo creo, este doble carácter. Se somete a un desarrollo estrófico regular. Lo cual, conforme a nuestras interpretaciones, debe producir una sensación de quietud. Pero, a la vez, la alternancia de metros (endecasílabo y heptasílabo), ¿no sugiere el ir y venir —avance y retroceso, siguiéndose uno a otro— de las olas del mar? Reforzaría esta afirmación el hecho de que tal procedimiento se repite en varios poemas [8], lo cual —si el axioma inicial de la estilística, a saber, la vinculación del significante y el significado, es cierto— debe probar algo.

Pero la idea de dinamismo ha sido expresada también por otros procedimientos (tampoco nuevos). Véase el poema *Las ínsulas extrañas (Variación VII)*. Lo que se describe en él es ya un proceso. No el de las olas que van y vienen, esta vez, sino que, remontándose más alto, el poeta vislumbra las cimas de las montañas de unas islas, para, dotándolas de ánima, referirse a su descenso desde allí hasta el suelo y, posteriormente, el mar. Y este proceso está descrito dinámicamente, mediante el recurso, ya estudiado, de retrasar la aparición del verbo o del sujeto agente de la frase:

---

[8] Concretamente, aparte del citado en los siguientes: *Var. IV. Por alegrías, Var. VI. Todo se aclara, Var. VIII. Renacimiento de Venus, Var. IX. Tiempo de isla, Var. X. Circo de la alegría* y *Var. XII. Civitas Dei*. Esta alternancia de metros, como expresión de un *hacer* (animación), aparecía ya en poemas de los primeros libros, aunque no —como en *El Contemplado*— de modo constante a lo largo de todo un poema. Recordemos:

> ¡Qué latido
> en ansias verdes, azules,
> en ondas, contra los siglos
> rectilíneos!
>
>   (FyS., 22)

> Si te escucho,
> no te oigo bien el silencio.
> En la tersura
> del agua quieta lo entiendo.
>
>   (SA., 3)

> Altas cunas, los riscos. ¡Bien nacidas!
> Torva guardia les hacen *soledades*,
> *ventarros, nubes grises*. Niñas, cimas.

(p. 308)

Las dos frases elípticas, sin verbo: "¡Bien nacidas!", "Niñas, cimas", parecen surgir abruptamente, como un grito, que interrumpe un momento el *hacer:* que lo resalta por tanto. Su valor sería, entonces, análogo al de los adverbios perfectivos (*ya, sí...*) que estudiamos.

> En luz, en aire tibio, en aves, sueñan,
> las, del mundo de abajo, maravillas.

Aquí lo que se retrasa es un sustantivo —complemento directo— por la interposición de una frase adjetiva entre él y el artículo. El efecto dinámico (tensivo) es el mismo que el que produce el retraso del sujeto:

> ...Bajan sin prisa
> en sosegadas curvas, verdeciéndose,
> peldaños erigiéndose, *colinas*.

> ...Aún queda el último
> por descubrir, *prodigio*. Es la marina.

Ahora es el verbo lo que se retarda:

> Fingida muerte *es*. Van a su cielo:
> su cielo el mar, que azul, cielo *duplica*.
> Innumerables gracias por el agua
> señas *son* de las gracias sumergidas.

No todos estos ejemplos son igualmente desconcertantes desde un punto de vista gramatical. Pero los más notorios dan fuerza a los más débiles. En este sentido, todo el poema tiene interés; revela una sintaxis extraordinariamente dinámica.

Ejemplos parecidos se encuentran en otros poemas:

> La constancia en lo feliz.
> Sí, las que se obstinan
> *felicidades*, en ser.
> ¡Tesón en la dicha! [9].

Nuevo hipérbaton, como se ve.

> *los* que la sombra *alcázares derrumba*
> el alba resucita [10].

En fin, léase la *Var. VIII. Renacimiento de Venus*, donde, de diecinueve estrofillas que lo componen, quince terminan por un verbo.
Cierto que, en muchos casos, esta terminación es normal, por tratarse
de frases intransitivas; pero, según dijimos antes, aquellos otros en
que la posición del verbo se siente como anormal valorizan a éstos.
(Ello aparte de la expresividad que la posición final —a la palabra que
sea— confiere siempre).

> Al célico sosiego otro marino
> sosiego le *contesta*.

> Las últimas congojas de la ola
> playa se las *consuela*.

Etc. Por todos lados se destaca el *acontecer*.

"EL CONTEMPLADO" (II)

Pero, ahora, desviemos nuestra atención. De la consideración del
aspecto dinámico, pasemos al estático. Este es quizá aún más evidente.
En todo caso, más evidente si comparamos este libro de Salinas con
todos los que lo preceden. No hay un solo poema de *El Contemplado*

---

9 *Var. IV. Por alegrías,* p. 303.
10 *Var. XII. Civitas Dei,* p. 321.

que la rima no articule de principio a fin. Vimos también la importancia que jugaba la estrofa. Todo esto produce, sin quitar un ápice
de cuanto dijimos, una impresión de armonía, de quietud. No nos
cuesta ya ningún trabajo conciliar quietud y dinamismo. Luis Felipe
Vivanco ha advertido la nueva manera de Salinas: "En este poema
—o tema con variaciones— el verso ya no sigue fluyendo lo mismo
que antes, irregular y caprichoso, sino se ha remansado en estrofas. Y
las palabras tienden a quedar un poco más situadas, a la manera guilleniana" [11]. Delatan estas líneas una aproximación: a la manera guille-

----

[11] *Ob. cit.*, p. 133. Hay que decir, sin embargo, que el dinamismo del
verso saliniano —en los libros anteriores— era reflejo, generalmente, del dinamismo (lucha) del amor en búsqueda de la esencia del ser. Ahora es posterior
a la revelación de esa esencia: reflejo de su inagotabilidad. En unos versos
como éstos, por ejemplo (*Var. V. Pareja muy desigual*):

> Con mi vista, que te mira,
> poco te doy, mucho gano.
> Sale de mis ojos, pobre,
> se me marcha por tus campos,
> coge azules, brillos, olas,
> alegrías,
> las dádivas de tu espacio...
>
> (p. 305),

que por su forma anti-estrófica recuerdan los de libros anteriores, el verso más
corto ("alegrías") es como un quiebro gracioso, resultado de una animación feliz. Se trata, diríamos, de evitar que el poema asuma una rigidez escurialense.

Podemos comprender también, ahora, que el ritmo febril del heptasílabo
—tan caro a Salinas— haya desaparecido (si no es en alternancia con otro
metro: el endecasílabo, sobre todo). Se lo sustituye por el ritmo más equili-
brado del octosílabo.

También el poema se hace más largo. Como es menos dramático y más
contemplativo, su fin no se impone tan necesariamente. Cesa sólo cuando cesa
la contemplación. Ésta es causa igualmente de su menor desarrollo, es decir,
menor distancia recorrida por el poema. El alma se revela *ab initio;* no hay que
buscarla afanosamente. Aunque hay excepciones, como la ya mencionada de
Las ínsulas extrañas o el poema *Todo se aclara. (Var. VI)*, en donde, ini-
cialmente, no hay más que la descripción de un "pensamiento vago", como
una nube, el cual acaba tomando forma con la luz de la mañana. Concreción
de lo abstracto, que aquí se produce sólo tras un arduo proceso.

niana. Así es. *El Contemplado* revela un influjo clarísimo de Jorge Guillén. Influjo reconocido implícitamente en las dos citas de *Cántico*, que preludian el libro:

> La luz, que nunca sufre,
> me guía bien.
>
> (*Muchas gracias, adiós*)
>
> ¿La luz no es quien lo puso
> todo en su tentativa de armonía?
>
> (*Paso a la aurora*)

Yo me permitiré añadir, como muestra del acercamiento a Guillén, aparte del desarrollo estrófico [12], las expresiones de júbilo que acompañan la revelación del alma, y que son, como se sabe, uno de los factores esenciales de la poesía guilleniana [13]. Así en el poema *Todo se aclara*, a que hace poco hicimos mención:

> ¡Triunfo, revelación! La última ola
> prorrumpe en signos blancos.
>
> (p. 307)

Otros ejemplos:

> Nacen con el albor olas y nubes.
> ¡Primavera, qué rápida! [14].

> La constancia en lo feliz.
> Sí, las que se obstinan

---

[12] Y, precisamente, la estrofa de Salinas, en que dos metros alternan sucesivamente, ha sido utilizada, más de una vez, por Guillén. Recuérdese, por citar más que un caso, el bellísimo *Primavera delgada*.

[13] V. Dámaso Alonso, *Los impulsos elementales en la poesía de Jorge Guillén*, en *Poetas españoles contemporáneos*, Ed. Gredos, Madrid, 1952, y Amado Alonso, *Jorge Guillén, poeta esencial*, en *Materia y forma en poesía*, Ed. Gredos, Madrid, 1955.

[14] Var. II. *Primavera diaria*, p. 300.

felicidades, en ser.
¡ Tesón, en la dicha!

Etc. Pero esta nueva forma de la poesía de Salinas debe revelar, pensamos, una nueva visión del mundo. Es decir, cabe preguntarse en otros términos: la aproximación formal de la poesía de Salinas a la de Guillén ¿no conlleva, paralelamente, una aproximación del *fondo* de ambas poesías? Hemos dicho que Guillén se diferenciaba de Salinas en que la esencia de las cosas se le revelaba como algo normal, sin más que abrir los ojos. De ahí el aplomo y la seguridad de su cántico. La apariencia no entraba en contradicción con la realidad profunda. Ni ningún *temblor de futuro*, por tanto, estremecía al poeta [15]. Pero, ¿no es esto lo que ahora ocurre en Salinas? Sí. También él, enfrentado con el mar, arriba siempre —fatalmente— al *más allá*. Sabe descubrir el *azul* (esencia inmutable) en los *azules* (plurales, cambiantes). Lo tiene allí, ante los ojos:

> Y allí en tu azul te encontré
> jugando con tus azules,
> a encenderlos, a apagarlos.
> ¿Eras como te pensaba?
> Más azul. Se queda pálido
> el color del pensamiento
> frente al que miran los ojos,
> en más azul extasiados.

---

[15] En Guillén, sin embargo, la visión unitaria, integradora, que la quietu de la estrofa refleja, no excluye la vibración del *hacer*. Ya dijimos que l perfección que su mundo revela es —como en Salinas— la del *llegar a se* Esta actividad no cesa nunca; incluso en algo tan inmóvil como el tabler de la mesa, Guillén percibe todo el bullir, todo el vigor del bosque de qu procede (como Salinas a propósito del mar). *Naturaleza viva*. Joaquín C. salduero ha expresado esto muy bien: "El mundo de *Cántico* es un estado l tente, la espera siempre del cierto acontecer. Pero toda la avidez, el ansia y deseo se encuadran en la característica principal de nuestra época: el orde de la unidad. Es un mundo claro y en orden. De un lado todo el anhelo d presagio, de lo latente; de otro, todo el aplomo de la presencia, del orde* (*Cántico de Jorge Guillén*, Ed. Victoriano Suárez, Madrid, 1953, p. 77).

> Eres lo que queda, azul;
> lo que sirve
> de fondo a todos los pasos (...)
> Y tú estás siempre llenando,
> como llena un alma un cuerpo,
> las formas de tus espacios [16].

Como en Guillén, lo *esencial* es algo *real,* no *ideal.* Siempre lo fue, pero nunca con tan poco esfuerzo. El cuerpo —la apariencia— no es ya algo engañoso, enemigo. No existe aquella tensión [17]. La *forma* se aquieta, entonces:

---

[16] *Var. I. Azules,* p. 298.

[17] Esta coincidencia del alma y el cuerpo, del *más allá* y el *más acá,* que, como en Guillén, se produce ahora en Salinas, se nos anunciaba ya en un ejemplo —único— de *La voz...*:

> Me metí en lo más hondo
> por ver si, al fin, estabas (...)
> Y nadie me hizo señas
> —un jardín o tus labios,
> con árboles, con besos—;
> nadie me dijo
> —por eso te perdí—
> que tú ibas por las últimas
> terrazas de la risa,
> del gozo, de lo cierto.
> Que a ti se te encontraba
> en las cimas del beso...
>
>   (p. 193)

La amada no surge aquí *detrás* de la risa ni de los labios, sino en ellos precisamente. No hay más alma que la que se revela a los ojos. No hay que hacer nada más que mirar. Otro poema —el 14 de *Presagios*— dice lo mismo:

> El alma tenías
> tan clara y abierta,
> que yo nunca pude
> entrarme en tu alma (...)
> Preparé alta escala
> —soñaba altos muros
> guardándote el alma—

> Hoy te he visto amanecer
> tan serenamente espejo,
> tan liso de bienestar,
> tan acorde con tu techo... [18].

Acuerdo, integración [19]. Que se produce todos los días, incesantemente. La *esencia* no deja de manifestarse a los ojos que la miran. Si
la luz, que descubre el espectáculo del mar, se va, el poeta sabe que
vuelve. Una palabra es clave aquí : *círculo* (o *circo*, *cerco*) o, lo que es
lo mismo, *redondez*. No la infinita prolongación de la línea, que nos
aleja cada vez más (forma abierta, insatisfecha), sino la infinitud aquietada, ofrecida —sin escisiones—, que une los extremos más distantes :

> El mar se ciñe más y más redondo,
> cerco de la alegría.
> Y se colman de asombro, en una playa,
> dos ojos, que lo miran [20].

> pero el alma tuya
> estaba sin guarda
> de tapial ni cerca (...)
> Me quedé por siempre
> sentado en las vagas
> lindes de tu alma.

Es curioso, sin embargo, que en los dos poemas el sentimiento sea de pérdida, de fracaso. Parece que sólo ahora —en El Contemplado— el poeta puede
vivir esa verdad, y no limitarse a saberla.

[18] *Var. XI. El poeta*, p. 317.
[19] En uno de los poemas finales de *Razón de amor (El dolor)*, leíamos contrariamente :

> esa grieta del mundo
> que hacen azul y tierra
> al no poder juntarse
> como Dios los mandó.
>
>   (p. 274)

El mundo, como los seres que en él viven, está agrietado, escindido en dos
mitades. Escisión resuelta, en *El Contemplado*, en unidad.
[20] *Var. X. Circo de la alegría*, p. 316.

Ceñir, redondo, cerco, son palabras muy de Guillén. Pero también *colmar* y *asombro*. La semejanza en la visión del mundo origina estas semejanzas del vocabulario.

Una cuestión nos queda. Hemos hablado de la eternidad del mar, cuyo movimiento —de olas que van y vienen— no se extingue nunca, que no muere por tanto. Pero el hombre, el hombre que lo contempla —el contemplador, no el contemplado— sí muere. ¿Debemos decir, entonces, que el anhelo de eternidad se frustra? Incluso el amor más logrado, dijimos, más duradero —y este del poeta y el mar lo es, en virtud de la fidelidad del mar, que no se va, que siempre *está ahí*— está amenazado de muerte: la muerte de los humanos en que toma cuerpo. Salinas responde a esta problemática en el poema final de *El Contemplado, Salvación por la luz*, que es el poema culminante del libro (y uno de los mejores de su autor). Se trata, como el título indica, de una nueva toma de contacto con el tema de la salvación. Ante el espectáculo, eternamente repetido, del mar, el poeta llegará al conocimiento de que él es como una de esas olas que ve, que si mueren no es sino para dejar paso a las que siguen, del mismo modo que otras precedieron. Los hombres mueren, sí, pero el hombre vive, podríamos decir, igual que el *azul* del mar pervive tras los *azules* múltiples, siempre encendiéndose y apagándose. Esta conciencia de ser un eslabón de una cadena infinita, dota al hombre de una suerte de inmortalidad: él es más que él entonces:

> Este afán de mirar es más que mío.
> Callado empuje, se le siente, ajeno,
> subir desde tinieblas seculares.
> Viene a asomarse a estos
> ojos con los que miro.

> (pp. 327-328)

Y así como en este presente se agolpa todo el pasado, así el poeta imagina un futuro, en que, muerto él, otros sean los que miren y él mire por los ojos de esos otros. Modo éste de escapar del tiempo —el

tiempo en lo que tiene de destrucción—, y de vivir en un presente
inacabable.

> ¡Qué paz, así! Saber que son los hombres,
> un mirar que te mira,
> con ojos siempre abiertos,
> velándote: si un alma se les marcha
> nuevas almas acuden a sus cercos.
> Ahora, aquí, frente a ti, todo arrobado,
> aprendo lo que soy: soy un momento
> de esa larga mirada que te ojea,
> desde ayer, desde hoy, desde mañana,
> paralela del tiempo.

¿No es ésta una visión paradisíaca? Todos los hombres presentes,
vivos, en un mundo que ignora el no ser. Pero es, conforme al credo
de Salinas, un paraíso terrenal el descrito. Es decir, un paraíso que no
renuncia al cuerpo. *Aquí*, dice el poeta. El demostrativo en fin de
verso, en los versos antes citados, subrayaba también esa corporeidad
necesaria, donde la mirada puede posarse:

> Viene a asomarse a *estos*
> ojos con los que miro.

Después leemos:

> Cuando de mí se vuele, allá en mis hijos
> —la rama temblorosa que les tiendo—
> hará posada. Y en sus ojos, *míos*,
> ya nunca aquí, y *aquí*, seguiré viéndote.

Es el amor, como siempre —la mirada de amor que a las alma
convoca—, quien nos salva, pero el afán de encarnación lleva a Salinas a no contentarse ahora con los instantes de amor logrado (a salv
del tiempo), que en la vida se dan. Es preciso que otros cuerpos no
sobrevivan también, en que ese amor haga nueva posada. Es precis

diríamos, la inmortalidad del cuerpo, y no sólo del alma: no sólo del amor.

"CONFIANZA"

Confianza, el último libro de Salinas (póstumo, publicado en 1954), está más cerca de *El Contemplado* que del libro que queda entre los dos: *Todo más claro*. Una simple ojeada a la forma de los poemas —teniendo en cuenta la peculiaridad que la *forma* reviste— permitiría hacer esta afirmación. En efecto, la composición en estrofas del poema, aunque no tan frecuente como en *El Contemplado*, no es rara tampoco en *Confianza*, y, deteniéndonos más, podemos advertir que todos son poemas con rima [21]. Poemas de palabra situada, pues. En *Todo más claro*, contrariamente, reaparece el verso libre, si bien —no como en *Razón de amor* y, sobre todo, en *La voz...*— es predominantemente endecasílabo: como más adecuado al tono reflexivo o *realista* (de que ya hablamos). Pero, ahora, ocupémonos de *Confianza*, a fin de no perder el hilo que queremos nos guíe. Es, decimos, la razón de la proximidad a *El Contemplado*, el cual acabamos de estudiar, la que nos hace alterar el orden cronológico. Esta proximidad es patente en un poema, cuyo título no puede ser más revelador: *Ver lo que veo*. Empieza así:

> Quisiera más que nada, más que sueño,
> ver lo que veo.

(p. 461)

El poeta siempre rechazó el sueño, pero también rechazó —salvo en *El Contemplado*— lo que veía. Lo que él quería era lo que está *detrás* de lo que se ve (el alma, que el cuerpo oculta). Ahora el alma

---

[21] Con una excepción, el poema *¿Qué pájaros?*, de una factura impresionista (evidente ya en el título). Nos recuerda mucho a uno —bellísimo— de Juan Ramón, que empieza: "Cantan. Cantan. / ¿Dónde cantan los pájaros que cantan?..." (*Canción de invierno*, en *Segunda Antolojía poética*, Madrid, 1952, p. 189). Este de Salinas es también muy hermoso, y además muy de él, pese al recuerdo juanramoniano.

se manifiesta tanto a los ojos que se confunde con lo que se ve. Como
en *El Contemplado*, el parecido con Guillén es evidente. Hacia el final
del poema, leemos:

> ¿Es lo que veo el río, o es el río?

Es decir, ¿es *este* río concreto, que yo veo, o es el río esencial?
La respuesta es clara: el río (existencial) es también el río (esencial).
Por eso el poeta puede contentarse con lo que ve [22]. Pero, ¿de dónde
viene la eternidad de la cosa concreta, que permite verla como algo
esencial? Lo sabemos ya: de su incesante renovación. Léase el poema
Esta. Esta rosa (el demostrativo, solo en el título, apunta como otras
veces a la vigorosa concreción de lo que se ve, de lo que está aquí)
es, como en Guillén, la rosa esencial, que contiene a todas las rosas.
Todas están vivas en la vida de ella. De *ésta:*

> Aspirando estoy en ésta
> diverso aroma, y el mismo:
> el de ella, en mi mano, aquí,
> y detrás un largo aroma
> de rosas, rosas más rosas...
>
> (p. 434)

Concreción de lo abstracto. Eternidad del cuerpo. No muere, no
se marchita la rosa:

> rosa más dura que peña.
> Mentira su breve sino...

Felicidad de la contemplación: de la contemplación de lo que,
siempre renovándose, no muere. *Lección de la ventana* (p. 439), como

---

[22] Comp. con Guillén: "Todas las rosas son la rosa, / Plenaria esencia
universal" (*La Florida, Cántico*, p. 352). Es decir, no que todas las posibles
rosas concretas (existencias) formen la rosa esencial, sino que cada rosa es,
ella sola, esa rosa esencial. Lo cual es así porque esencia y existencia coinciden.

los poemas anteriores, alude a ella. Allí está, tras la ventana, el espectáculo eterno —eternamente repetido— de la naturaleza. Un mundo
se nos abre, que nos enajena, que nos hace salir de los límites (reducidos) de este otro mundo civilizado. Lo mismo dice *En un trino*
(p. 426). Estas gozosas visiones nos hacen perder conciencia del tiempo; nos sumen en un presente inacabable:

> Ni recuerdos ni presagios:
> sólo el presente, cantando [23].

Presente que, insistamos, se vincula no a una quietud, sino a un
hacer continuo, o, si queremos, a la quietud de un hacer continuo.
Esta idea, tan centralmente saliniana, recibe forma, una vez más, en el
poema *Regalo:*

> El viento
> va tan quedo
> que de servidumbre escapa,
> y no aprovecha a molino
> trajinero.
>
> (p. 432)

El hacer no persigue ningún fin, ningún objeto en que detenerse.
Es un hacer *sin fin.* Por eso, en este poema, se valora el ocio. ("El
ocio es nuestro negocio", dice el primer verso). Es lo que se opone al
trabajo: hacer que tiene un fin, que en él se sacia y termina, introduciendo así un orden (pasado-presente-futuro), que justamente quere-
nos abolir.

> Algo que viene y que va,
> mirar de amor a mirada
> de amor. Y tan sin parar,
> que no hay miedo a que se pase,
> porque así, yendo y viniendo,
> se está.

---

[23] *Presente simple*, p. 435.

En fin, la imagen de la *redondez* para expresar una visión semejante, acude también ahora:

> Ya se ha cerrado un anillo (...)
> Eslabonada se siente,
> total unidad, la tierra (...)
> Un mundo rueda, tranquilo.
> ¡Qué redondez tan perfecta! [24].

Hasta aquí son evidentes las coincidencias con *El Contemplado*.
Pero, junto a poemas como los señalados, hay otros en *Confianza* que
agrietan, o mejor, que hacen temblar, la serenidad de ese mundo descrito. Muy interesante es el titulado *Parada* (p. 442). Se cuenta en él
cómo una gota de lluvia cae en una hoja, y allí está, detenida, salvada —pero amenazada en todo instante— de ir a parar al suelo (lo que
sería la muerte):

> ¡Qué trémulo es el estar
> de recién llovida gota
> en la hoja
> de este arbusto!...

El temblor, que es una de las constantes de la poesía de Salinas,
reaparece. Poesía *en vilo*. Piénsese que, si bien la palabra está ahora
más situada, sigue el verso resistiéndose a entrar en una medida uniforme; lo que, sin duda, lo tornaría demasiado rígido para la visión
que se quiere expresar.

Pero, además, no es difícil advertir que, tanto en *El Contemplado*
como en los poemas de *Confianza* que se le asemejan, Salinas se en-
frenta con una realidad excepcional, y sólo partiendo de esta previa
situación de excepción, puede comprenderse que el alma se revele sin
esfuerzo y de un modo continuo. Así en *El Contemplado*, la *Variación XII. (Civitas Dei)* muestra el contraste que a la ciudad que e
mar erige, opone la *ciudad de los negocios, la ciudad enemiga.* L

---

24 *Redondez*, p. 452.

cual será objeto principal del libro *Todo más claro*. Ahora también, en el poema *En un trino*, ya citado, donde el poeta se extasía oyendo el canto del pájaro, leemos:

> Soy feliz en un trino
> tembloroso de pájaro
> que alguien mandó bajar
> hasta este desamparo...

Este desamparo es la tierra, la tierra en que vivimos, que no es el paraíso, y sólo dispone de unos cuantos paisajes —no los más habituales— que pueden hacerla pasar por tal. Guillén, por supuesto, nunca hubiera hablado de este desamparo [25].

Otro poema —*Jardines, éste y aquél*, p. 424— planteará aún con más crudeza la insuficiencia de lo que se ve, de *este* mundo. Ni siquiera el jardín, que a los ojos se ofrece (un jardín no es la "ciudad de los negocios"), puede hacernos olvidar el otro, que no se ve. Aquél esencial), no éste. La dualidad, la escisión resurge.

> ¿Jardines? Para el afán;
> nunca pisados (...)
>
> ¿De qué tierra sin sepulcros
> salen sus tallos? (...)
>
> que apenas bosquejan formas
> se van borrando.

El hacer constante, la vida inextinguible, no está ahora aquí. Nos queda sólo el consuelo de la belleza (material) del jardín *este*.

> Se encantan con estas rosas
> los desencantos,

---

25 En el mundo de Guillén no todo es dicha. También existe el mal, el dolor; pero éstos son algo adjetivo, es decir, inesencial, y Guillén, que es un cantor de lo esencial, puede rechazarlos. "Yo no soy mi dolor", dice en alguna parte.

blancuras suyas consuelan
de aquellos blancos.

Los imposibles ¿por qué
se ven tan claros?

Pero, hermosísimos, vivan
los simulacros.

Mas esta belleza de los cuerpos, de los cuerpos solos, sabemos que
para Salinas —para un español— es totalmente insuficiente.

"TODO MÁS CLARO" (I)

Dijimos que en *El Contemplado,* y en toda una serie de poemas de
Confianza, Salinas se encaraba con una realidad excepcional, y que,
gracias a ello, el alma se rendía con una insistencia y tranquilidad ma-
yores que nunca. La dirección de la pupila va a cambiar en *Todo
más claro.* Es el mundo civilizado, no natural, el objeto preferente de
este libro, y ese mundo es —ahora— expresión de lo sin alma. Las
máquinas, entre las que el poeta de los años veintitantos se encontraba
tan a gusto, y que no tenía inconveniente en "animar", se han mos-
trado, años después, bastante perversas. Salinas denunciará esa perversión (de modo ejemplar en el poema *Cero,* que pone fin al libro)
La técnica y el maquinismo, que todo lo invaden (sobre todo en Norte
américa, adonde el exilio ha conducido al poeta), son enemigas de
espíritu. ¿Qué valen entonces? En *El Contemplado,* un poema (*Civitas Dei*) aludía ya a ese mundo:

Vacío abajo corren ascensores,
corren vacío arriba,

transportan a fantasmas impacientes:
la nada tiene prisa.

                    (p. 322)

Vacío, vacío. Los nombres no son sino *fantasmas.* Todo ese mundo —sin alma— va a parar a la *nada.*

> Luchan las cantidades con los pájaros,
> los nombres con las cifras:
>
> trescientos, mil, seiscientos, veinticuatro,
> Julieta, Laura, Elisa...

Las cifras no encierran ya ninguna significación positiva (como en el poema *Números, SA.,* 22); se oponen a lo natural —pájaros—, al mundo del espíritu. Se oponen a los nombres, que, se reparará, son nombres todos de enamoradas célebres. Son también nombres poéticos. Es el amor, es la poesía, lo que faltan en ese mundo: el alma en suma.

> Lo exacto triunfa de lo incalculable,
> las palabras vencidas
>
> se van al camposanto y en las lápidas
> esperan elegías.

La poesía *(elegías)* se sustituye por palabras gastadas, sin alma. Se habla luego de los hilos de la electricidad, que van por el aire en lugar de los pájaros:

> A su paso se mueren —ya no vuelven—
> oscuras golondrinas.

Es la muerte de la poesía, otra vez, pues las golondrinas están vistas en un doble plano: natural y poético (este último por el recuerdo de la famosa rima de Bécquer). El mundo de la técnica encarna la prosa de la vida a la perfección. Hay toda una diatriba contra este mundo y los objetos que crea: radios, maniquíes, teléfonos, cines. Seres sin alma. Los maniquíes son insensibles. El cine reduce los humanos a sombras, y lo mismo las radios y los teléfonos.

Esta es la realidad que canta *Todo más claro*. El poeta sigue, como siempre, sediento de alma, pero el mundo en que vive parece complacerse en su exterminio. Para salir de él, de sus sofocantes luces de los anuncios (por la noche), que nada aclaran, de la numeración de las calles, el poeta se vuelve a las estrellas: a su luz pura, cuyo misterio no rechaza, como en *Números*[26]. No, no se prefieren los números a las estrellas. La visión del mundo no ha cambiado; simplemente Salinas buscará el alma en objetos distintos. El mundo civilizado, que entre otras cosas nos ha enseñado a numerarnos, es algo que ata, que esclaviza. De los anuncios sólo uno impresiona profundamente: el del dentífrico, que nos recuerda la blancura de los dientes; es decir, el esqueleto que sobrevivirá a la carne mortal:

> ...Los huesos nunca engañan,
> y ellos han de heredar lo que dejemos.
> Ellos, puro resumen de Afrodita,
> poso final del sueño.
>
> > (p. 376)

Versos éstos que se inscriben dentro de una tradición bien española. La de la vida es sueño. La de Unamuno: somos un sueño de Dios.

Este paisaje urbano, desalmado, se sobrepone a otro natural: fondo inocente, y que el poeta no pierde nunca de vista. Ya dijimos que se vuelve a las estrellas, huyendo de las luces de aquí abajo. La sustitución es bien evidente desde el comienzo del poema:

> aceras, el arroyo,
> los rieles del tranvía,
> tus orillas, altísimos ribazos
> sembrados de ventanas, hierba espesa,
> que a la noche rebrilla
> con gotas del eléctrico rocío.

---

[26] *Nocturno de los avisos*, p. 373.

Tal sustitución ocurre también en el poema *Hombre en la orilla*:

> Este río no es aquél:
> corriente, a secas.
>
> (p. 351)

Este río es el río de la vida, que a todos nos arrastra. Sin agua, con sus ruedas. Ruedas que no llevan a ningún lado.

El hombre en la orilla es el hombre que no está en el centro (el "centro inmóvil" de su alma: acordado a ella), sino que siente el paso del cuerpo, su fugacidad. Por eso, tiembla:

> Temblor del hombre, delante
> de lo que viene. ¿Y qué viene?
> Casi nada, otro momento,
> eso, el momento siguiente.
>
> (p. 359)

Siempre en una orilla, que hay que abandonar en seguida por otra. Orilla que lo es de una nada.

> A muchos les ha tocado
> esta hora atroz,
> la del hombre de la orilla:
> verse enfrente de la O.
>
> (p. 358)

La O es la disyuntiva, que nos obliga constantemente a elegir entre esto o aquello, cuando lo que se querría es tener todo, no renunciar a nada. Pero la O es también el cero, la muerte (elegir es una muerte de lo que no se elige) que por todos lados nos rodea. Un asomo de la angustia existencial de nuestro tiempo: la angustia de la libertad.

Entretiempo romántico (p. 381), como su título indica, contendrá también alusiones a un paisaje natural (romántico) —lagos, cisnes, etcétera—, aunque la peripecia que describe transcurra en un ambiente bien actual. Pero lo interesante aquí es que esas alusiones no se tiñen de nostalgia, sino de ironía, justificada por el uso abusivo y mecánico que de ellas se ha hecho. El romanticismo es ya un tópico, y un tópico es, como una máquina, algo sin alma.

Cierto que la ironía revela siempre un fondo de dolor, pero el poeta no se deja arrebatar por él. Lo que aquí se nos sirve es una imagen caricaturesca de hombre escéptico y desilusionado, a quien ya nada conmueve. ¿Desilusionado? En fin, la desilusión, en todo caso, es posterior a la historia que se narra, pues el poeta creyó —una vez más— en la eternidad del amor. La culpa la tuvo el "azul unánime" del diván, nos dice. De no haber mordido ese cebo, hubiera salido a encargarse

> un buen amor de invierno a la medida,

puesto que el amor sin medida —sin límites— es imposible.

> Pero la tela azul, azul, azul,
> te dio un color de eternidad, infinita.

El poeta ve marchar a la amada, no mirándola a ella directamente, sino en un espejo: transformada, por tanto, en un ser espectral, cada vez más reducido. El ser a que se condena alejándose del amor (la vida).

> te marchaste cerrándote —agonía
> en un convexo azogue—, desviviendo
> tu hermosa vida a cada nuevo paso.

Entre espectros —espejos— habrá que buscarla pues. Quizá un día surja de ellos: del vacío del mundo.

El cuerpo, fabuloso —segunda parte de este poema— acentúa e tono pesimista. La invisibilidad (¿amor?, ¿felicidad?), a que el poeta rechazando todo lo demás, se dirige, sólo transitoriamente encarna e un cuerpo, y allí inventa una fábula: la del amor eterno.

Contra el tópico, reacciona también el poema *Contra esa primavera* (p. 395). Esa primavera es la del día 21, la *oficial*, de *almanaque*:

> parecida a los trenes,
> llega siempre a su hora (...)
> entre apiñada escolta
> de lugares comunes, de gacelas...

Aquí los *trenes* y las *gacelas* son nombrados despectivamente. Es la resonancia poética legítima de *gacelas*, y su fusión a *trenes*, lo que hacía valiosos los términos en otro poema: fusión de dos contra-puestos [27]. Ahora las *gacelas* son vistas como un lugar común: término poético que, a causa de repetirse, deja de serlo [28]. El mismo desprecio de lo que se repite, sin alma, muestran estos versos:

> ...Embajadora
> de una gran tradición, de las *llamadas*
> fuerzas inexorables de la vida.

Esas "fuerzas inexorables" no tienen ninguna fuerza en el exan-güe comentario de las gentes. Quienes esperan a la primavera (*esa* primavera) son *funcionarios, recién casados, rentistas, ingenieros sensa-tos*: personas todas pertenecientes a un orden, del que sólo se salen

---

[27]
> En trenes o en gacelas
> me llegaban —agudas,
> sones de violines—
> esperanzas delgadas...
>   (Voz, p. 138)

[28] Una fusión positiva se da aún en *El cuerpo, fabuloso*:

> Como no se te ve, sólo te nombran (...)
> las ruedas de los trenes cuando cruzan
> los campos donde pastan las gacelas...
>   (p. 387)

Eso es lo importante: que se produzca el *cruce* de lo material (trenes) y lo ético o espiritual (gacelas).

un día convencional. No se salen, pues, nunca, en definitiva, de la convención; del orden.

> Se sientan
> en los ribazos, junto al río,
> la siguen por el agua, en su reflejo (...)
> y dan vueltas y vueltas
> en la Canción de Primavera, Mendelssohn.

La primavera real queda sustituida por un disco: una imagen. O
por su reflejo. Las *gentes* viven entre copias, sombras.

> Pero se alza un rebelde,

que cantará la primavera cuando le venga en gana: la suya. Sin es-
perar al día veintiuno. Entonces

> mil lástimas le miran:
> lástimas de poetas,
> lástimas de señoras...

Los poetas, si ingresan en un gremio organizado, son tan estúpidos
como otro gremio cualquiera. Se convencionalizan entonces; pasan
—ellos, lo mismo que su poesía— a ser un lugar común.

> Y ellos le dicen, ellos y más ellos...

Ya vimos el sentido despectivo que tenían los pronombres de 3.ª
persona plural. He aquí un ejemplo magnífico de tal sentido: reforzado por el hecho de la multiplicación —pluralización— del pronombre. Gigantesco plural que trata de ahogar el ser singular. Único.

En fin, la diatriba contra la realidad de nuestros días culminar
en el poema *Cero*. Largo poema (el más extenso escrito por Salinas
y, sin duda, uno de los más importantes suyos), que alude a la des-

trucción provocada por el estallido de una bomba. Artefacto creado
por los hombres, y cuyos daños se revelan extraordinarios. ¿Pero cuá-
les son, exactamente, estos daños? ¿Vidas humanas? ¿Cosas? No.
Esta es la originalidad del poema. Lo que el *cero* destruye no son
tanto personas o cosas *hechas,* como *haceres:* inminencias. El cero destruye la posibilidad de que el ser se cumpla, llegue totalmente a rea-
lizarse. Eso es lo valioso para Salinas, no lo *hecho* (acabado); es com-
prensible, entonces, que sea eso lo que él lamente:

> Muerto inicial y víctima primera:
> lo que va a ser y expira en los umbrales
> del ser. ¡Ahogado coro de inminencias!

Y la inminencia que el cero destruye es, sobre todo, la del amor
(donde el ser se revela en su esencia). Así se dice de los amantes:

> Tan al borde del beso no se besan.

O, en todo caso, el cero destruye el anhelo de alcanzar esa esencia,
aunque no se presente en un contexto explícitamente amoroso:

> la moza muerde ya la fruta nueva.
> La boca anhela el más celado jugo;
> del anhelo no pasa.

Este es el tema de la segunda parte del poema (la primera se refería a la explosión de la bomba). Una tercera parte abordará una nueva
perspectiva. Va a aparecer el lamento por la destrucción de algo *hecho.* Pero es que en eso *hecho* concurren circunstancias especiales. Vamos a ver. Lo *hecho,* que el cero destruye, es un templo, construido
en el espacio vacío de una selva:

> Este espacio que no era más que espacio
> a nadie dedicado, aire en vacío,
> la lenta cantería lo redime

>   piedras poniendo, de oro, sobre piedras,
>   de aquella indiferencia sin plegaria.
>
>   (p. 409)

Algo, pues, que se alza frente al vacío, frente a la nada. Pero, además, un templo es el lugar de reunión de las *almas*. Un templo es una promesa de vida eterna, de vida que no muere (más allá del tiempo). Pero el deseo de eternidad es el más ardiente del poeta. Destruir el templo es destruir ese deseo, que en el templo se expresa. Un templo es cuerpo, pero no cuerpo sólo : las almas, que a él acuden, lo pueblan. Almas, decimos, porque la plegaria es algo que procede del alma.

Luego se nos habla de la transformación de la tierra en una vasija (también destruida), a cuyo alrededor había modeladas figuras de dioses. No es difícil advertir la relación que esto guarda con el templo.

Finalmente, los objetos que acabamos de mencionar son obras de arte. Es decir, obras que proceden del espíritu : del espíritu del hombre, que, ahora, ellas revelan (cuerpo animado también, en este sentido) :

>   Junto a un altar de azul, de ola y espuma,
>   el pensar y la piedra se desposan...
>
>   (p. 408)

La cuarta y quinta partes del poema cantarán esta suerte de destrucción :

>   ...Ánima dieron [los hombres]
>   a masas que yacían en canteras.
>   Muchas piedras llenaron de temblores.
>
>   (p. 411)

El hombre se eterniza —o quiere eternizarse— en estas obras. De ahí que su destrucción sea tan grave. Otra vez, por otro camino, vemos que lo que se destruye es el deseo de eternidad.

La piedra animada es como una vela que desafía el mar del tiempo :

dando sus velas, piedras, a los vientos.

(p. 412)

Velas, piedras: asociación de lo ligero, volante, y lo pesado. Do-
blete antitético, que la rima *(e-a)* resalta.

Y el momento en que el cuerpo de la piedra o arcilla, por obra del
artista, se anima, asóciase al momento de revelación del alma por obra
del amor. Artista y amante buscan lo mismo:

> Camino sobre anhelos hechos trizas,
> sobre los días lentos
> que le costó al cincel llegar al ángel;
> sobre ardorosas noches,
> con el ardor ardidas del desvelo
> que en la alta madrugada da, por fin,
> con el contorno exacto de su empeño...

(p. 414)

Los versos finales (resumen de todo) dicen, ya con claridad, que lo
que muere es el *no* a la muerte:

> Yo solo le recuerdo, al impalpable,
> al NO dicho a la muerte, sostenido
> contra tiempo y marea: ése es el muerto.

(p. 415)

"TODO MÁS CLARO" (II)

El horror de la guerra, de la destrucción recientes, empujará a los
hombres de nuestro tiempo a ajustar cuentas consigo mismos. La filosofía existencialista, y su vastísimo reflejo literario, pondrán al desnudo, con violencia, un sentimiento de culpa, de responsabilidad.
Cierto que tal sentimiento tiene raíces lejanas (en lo que toca a la
civilización occidental, su origen es cristiano), pero unas épocas lo

viven más intensamente que otras. A la nuestra estaba reservado el vivirlo en una dimensión exorbitante. Concretamente, en Salinas, yo lo veo aparecer por primera vez en un poema de *Todo más claro: El inocente* (p. 346). En él se expresa la convicción de que los *hechos* del hombre son culpables, y traicionan su ser íntimo: puro, inocente:

> con la mirada a mi mejor me busco,
> al que tanto se niega, a mi inocente (...)
> dar por fin con aquel que fui primero,
> con el que soy, debajo de mis hechos.
>
> (pp. 346-347)

El inocente es, pues, el ser originario, desnudo. El ser del alma. Que los hechos traicionan ese ser, es algo que sabíamos. Pero sólo ahora la falsedad o enmascaramiento de esos hechos se tiñe de culpa. Sólo ahora el "ser mejor" lo es en un sentido moral. Su pureza no es —o no es sólo— la de la esencia, sino la de lo sin mancha; la de la inocencia, en suma. No es casual, entonces, la alusión a la imagen de la pantalla blanca del cine, en la cual se narran historias: historias falsas, que ocultan la verdad —la blancura— de la pantalla:

> Pero aún me queda fe en esa blancura
> rectangular, en tantos escenarios
> a sufrir condenada sin remedio
> veloces fechorías,
> pasiones aparentes, falsos besos.
>
> (p. 347) [29]

---

[29] La concepción sicoanalítica, que hace derivar el sentimiento de culpa del complejo de Edipo, podría aplicarse aquí a la interpretación de estos versos (claros para un lector de Freud o sus epígonos):

> olvidado de un daño, un daño antiguo
> que he debido de hacer. ¿A quién? Acaso
> al aire, un poco de aire, aire ovalado,
> vestido de color, y en piel delgada.
> De niño rompí un globo.
>
> (p. 346)

Pero el poeta (el hombre) no se confunde con su inocente. La tensión entre ambos durará toda la vida. No hay más remedio, entonces, que acatarla, pero sin perder nunca de ojo al inocente:

> Vislumbro salvación: es el respeto
> al inocente mío (...)
> guardar, guardar, acordes, la distancia
> que al hombre le distingue de su sueño.
> Al hombre, mientras viva.
>
> (p. 351)

Tener cuenta de la distancia supone, forzosamente, tener cuenta también de aquello de que la distancia nos separa.

Esta tensión o desacuerdo es lo que lleva al poeta a decir (en un poema titulado *Lo inútil*):

> Me haces falta en la vida
> porque no eres el pan
> nuestro de cada día.
>
> (p. 393)

No basta la realidad cotidiana, la realidad que nos rodea. *Lo inútil* llama aquí el poeta a lo que le falta; a lo que no se le entrega diariamente, porque no es pan (y, sin embargo, es tan necesario como el pan):

> Porque no se te triza con los dientes
> y así se lleva al cuerpo nueva fuerza
> con que pedir mañana lo que ayer:
> lo mismo, otra vez pan, hasta la muerte.

Los dos versos finales del poema cifrarán esta sabiduría, tan típicamente saliniana:

> Y todo está entendido:
> el sino de la vida es lo incompleto.

De ahí que se busquen seres que nos abran las puertas del alma.
El alma, como siempre —que tantos juzgan inútil— es el centro del
anhelo. *Santo de palo* es un magnífico poema que canta la "animación" de un árbol. El árbol es algo insensible ("insensible pena de ser
bosque"), pero, ahora, convertido en *santo de palo,* es "trascendida
madera". El poeta imagina una situación, en que el árbol, vuelto al
bosque con sus hermanos vegetales, les dice:

> alguien (...)
> me ha encendido
> arder que no termina, luz de inmortalidad:
> me ha puesto un alma (...)
> Y las almas, ahora, son mis pájaros
>
> (p. 364)

Entre el alma del santo de palo —es decir, el ser inmortal de que
él es imagen— y las almas de los que se postran ante él, se establece
el diálogo (único diálogo el de las almas, que merezca tal nombre):

> Nosotros, pecadores.
> Sí, por nosotros reza, pecadores.

Poema muy de Salinas, como se ve, y que, al mismo tiempo, nos
deja un recuerdo de Unamuno; natural por otra parte, pues ambos
coinciden en su sed de inmortalidad (e, incluso, como vimos, en el
peculiar modo —corpóreo— de imaginarse la misma) [30].

---

[30] La coincidencia afecta también, ahora, al tono de voz de ambos poetas.
Así estos versos, en que los árboles se dirigen al santo:

> ¿Quién eres tú? ¿Dónde tus ramas, dónde
> las hojas que solías?
> ¿No sientes ya que el viento te hace música?

etc., nos suenan a Unamuno; nos hacen pensar en *El Cristo de Velázquez* o en
algún poema como *Aldebarán.*
Carmen Bravo-Villasante, muy oportunamente (a propósito de *Razón de
amor*), ha establecido también el contacto entre Unamuno y Salinas: "hay

Otro poema —*Pasajero en museo*— muestra al poeta en la contemplación de las criaturas de los cuadros, que están fuera del tiempo:
inmortalizadas por el artista que las pintó. El poeta, ante ellas, no es
más que un *pasajero* (palabra que se cubre de resonancia metafísica:

una veta unamunesca en Salinas, un filón riquísimo que se va descubriendo
en sus libros (...) En *Razón de amor* (1936), sobre todo, esta densa riqueza
subterránea impresiona al lector (...) Abundan los verbos reflexivos o, mejor
aún, los verbos en su forma reflexiva; abunda el dativo ético propio de la
vehemencia, de lo personal, las palabras de intensidad esencial, cargadas de
afectividad, que tanto gustaban a Unamuno y ahora sirven al objeto de Salinas. Un ejemplo:

> Me acuno en el cansancio
> y en él me tienes y te tengo en él,
>
> porque un sueño sólo es sueño
> verdadero
> cuando en materia mortal
> se desensueña y encarna.
>
> Y allá se vuelve el amor
> a su entraña.
>
> ("La poesía de P. S.", en *Clavileño*, n.º 21, Madrid,
> 1953, p. 52)

Ejemplos todos muy bien traídos. Añadamos —en *Razón de amor*— la alusión a Aldebarán (de inconfundible recuerdo unamunesco):

> todo,
> de Aldebarán al grillo te pensaba.
>
> (p. 233)

o este final:

> seguro a no acabarse:
> toca
> techo de eternidad.
>
> (p. 256)

que aproximamos, sin trabajo, a este otro de Unamuno:

> sea con la sonrisa de tu boca
> cuando le toca, brisa
> de eternidad.
>
> (*Viendo dormir a un niño, Antología poética*.
> Col. Austral, p. 88)

individuo que pasa, es decir, que muere). *Pasajero en museo* vale tanto como "mortal entre inmortales":

> No me miréis ya más,
> criaturas salvadas,
> a mí, pobre de mí (...)
> Vosotras, quizá diosas, o mujeres,
> ya en perpetua paz con vuestra carne,
> felices habitantes del desnudo,
> cada cual satisfecha confinada
> en la isla prodigiosa que le traza
> el tendido contorno de su cuerpo...
>
> (p. 365)

Isla: forma concreta, cuyos límites se subrayan, pero a la vez fuera
del tiempo. La carne pasajera está ahora quieta, en paz. Como siempre, si se revela la intemporalidad de los personajes retratados, se revela también su bulto, sus límites (a los que se añaden aún los límites
del marco). No es la intemporalidad de lo abstracto, del vacío, sino de
lo que tiene forma, pesantez:

> pompa de terciopelo abullonado...
>
> (p. 366)

A lo *material* del "significado" de este verso, se une su expresivo
"significante" fonético: a base de consonantes pesadas, oclusivas, y
donde la vocal grave *o* domina. Contrasta con el verso que sigue:

> el cuello, lirio, la sonrisa, apenas...

Eles y *eses.* Verso alado, esfumante (lirio, sonrisa), voluntariamen-
te desdibujado, y en el que, sin embargo, las dos *íes* tónicas, en el

---

o —en *Todo más claro*— la aparición del verbo *brizar,* tan de Unamuno:

> en tu cantar nocturno
> me brizas...
>
> (*La vocación,* p. 372)

centro, aportan una nota de precisión; rompen, en parte, aquella bo-
rrosidad:

> Tú, mozo egipcio, con mirar de brasa (...)
> Tú, en pie, dama holandesa, alma en los ojos...

Las figuras se *animan*. Pesan y vuelan a la vez.

> ...detrás, en la pared, mapa de octubre...

Concreción de nuevo. Pero ese octubre del mapa (del cuadro) con-
trastará con el octubre real en que el pasajero visita el museo (y del
que nos habla al fin del poema). Este que ve es un octubre a salvo del
tiempo: un instante eternizado ya. Ambas cosas —lo instantáneo y lo
eterno— importan.

> ...las puntas de sus dedos acarician
> pensando que son teclas de algún clave,
> ovalados recuerdos de los mares
> que no se apartan nunca de tu cuello.

Se alude, por supuesto, al collar de la mujer: la dama holandesa.
Y el mismo doble plano aparece: recuerdo, introspección, imagen levemente romántica, pero densa, tangible también. No recuerdos que
se esfuman, sino "recuerdos ovalados".

Lo mismo se diga del mártir, cuya paciencia se compara a la de la
dama:

> tiernamente doblada
> bajo el peso de pájaros y pájaros.

Peso y, a la vez, seres volantes (pájaros).

La detención del movimiento, que el marco lleva a cabo, aparece
también:

> ...rectángulos dorados.
> Dentro, vosotros, quietos. Y yo, fuera,
> del otro lado errante

y condenado a serlo, y a mis pasos
y a innumerables ruedas, y hasta alas...

(p. 367)

Ruedas y alas: ni aquéllas ni éstas valen, por sí solas. Sólo vale
su asociación. La asociación del cuerpo y el alma.

En fin, dentro de sí mismo encuentra también el poeta refugio a
la inmortalidad (*La vocación*, p. 371). No ahora en su ser de amante,
sino en su vocación. Su vocación de poeta. Poesía y amor coinciden
en el fondo: aquélla como éste revelan el alma (el ser auténtico). Lo
interesante, en este poema —y muy de Salinas, por otra parte—, es
que la vocación se presente, ella misma, como un *ser animado*. Primero escindido: silencio, voz (es decir, alma y cuerpo); luego, estos
dos componentes se integran:

Los dos que fuiste tú, silencio, voz,
ya estáis atrás:
camino recorrido hacia lo alto.
Tu tercer ser, final, llegó. Se ve
que tú eras lo que eres, que eras canto.

(p. 372)

Canto: el ser pleno, íntegro. El ser que se es. El cual, como siempre, asoma en lo *alto*.

Los versos finales expresan el temor de que la vocación se vaya de
nosotros, a vivir como un ser abstracto:

miedo me viene
de que no se resigne a este descenso:
estar conmigo.

Es el mismo miedo que se tenía respecto al amor. Pero se observará
que la vocación ha sido sometida a un doble proceso de concreción e
integración. Se concreta en nosotros, pero también ella, por sí sola,
ha sido vista como un ser concreto (de modo parecido a como la

criaturas de los cuadros recibían la doble concreción del contorno del dibujo y del marco) [31].

El poema inicial *Todo más claro,* que da título al libro, hablará también de este poder de la poesía. Poder de elevar las cosas a su realidad más alta, aquella que descubre su alma o esencia. Y en el intento de poetizar, aquí descrito (*Camino del poema* reza el subtítulo de éste), se le ofrece al poeta la lengua, con sus palabras que muchos, antes de él, dijeron, que muchos, después de él, dirán. Son así las palabras como las olas del mar: un trasunto de lo eterno, de lo que se renueva constantemente. Eternidad que se concreta ahora en él, el hombre —poeta— que dice esas palabras. Palabras que, de otra parte, han recibido ya una concreción. Son españolas. Este carácter se explaya en la evocación de las etapas históricas por que la lengua ha pasado:

> ...luces romanas,
> misteriosas selvas góticas,
> cálida Arabia!
>
> (p. 342)

Con sugestiva —no impasible— calificación de los espacios evocados. El poeta se siente inmerso —gozosamente inmerso— en una tra-

---

[31] Este modo de funcionar la imaginación de Salinas, aparece también en otro poema: *El viento y la guerra,* p. 400. La guerra es aquí la noticia, en un periódico, de su declaración. O sea, una palabra (seis letras), que se concreta en una hoja. Varios poemas de Salinas cantan esta aparición de una palabra en un papel: una existencia —traducíamos— que surge en un vacío (espacio blanco). Pero ahora esa existencia es la de algo atroz —la guerra—, que quisiéramos no existiese. El poeta imagina, entonces, que el periódico, donde la noticia figura, es arrojado al suelo, y allí el viento y la lluvia lo desgarran. Los signos que se habían juntado para formar la palabra, se desajuntan así:

> los signos se desajuntan,
> los seis signos del vocablo.

Vuelven, diríamos, a la "gloria abstracta de alfabeto" en que vivían antes antes de adquirir concreción en una palabra impresa en un papel). Pero esa gloria abstracta es, como sabemos, la muerte.

dición, o, dicho de otro modo, siente en su voz muchas voces pasadas
(como en su mirada frente al mar sentía otras muchas). Así, este poema podría titularse *Salvación por la palabra.*

Ocurre luego una serie de alusiones a hombres que, antes de él,
hablaron o escribieron su lengua: Rodrigo de Triana, Garcilaso, San
Juan de la Cruz, Cervantes, y, junto a ellos, otros anónimos:

> Bocas humildes de hombres,
> por su labranza,
> temblor de labios monjiles
> en la plegaria...
>
> (p. 343)

Palabra del rezo o del hombre en contacto con lo natural (eterno),
como antes palabra de quien descubre un mundo y palabra del poeta:
todas tienen algo en común. El alma a todas las vivifica. Lo que es
interesante es que también los escritores aludidos se sumen en la tradición:

> voz del vigía gritando
> —el de Triana— (...)
> aquel doncel de Toledo,
> "corrientes aguas",
> aquel monje de la oscura
> noche del alma,
> y el que inventó a Dulcinea,
> la de la Mancha.

Los nombres individuales se borran, para sustituirlos por los nombres de la patria que a todos los sustenta: Triana, Toledo, la Mancha. Ellos son "aquel doncel", "aquel monje", "el que inventó a Dul-
cinea". Añádanse aquí, desde otro punto de mira, las familiarísimas,
y españolísimas, expresiones de que Salinas hace uso repetido ahora:

> habla que habla,
> soñando, sueña que sueña,
> canta que canta.

De tal modo, el poeta se siente "enajenado". Hay una evasión de los límites temporo-espaciales (personales). Aunque, por otro lado, hay una afirmación: hay un espacio —España— de donde no sale el poeta. Nada aquí puede extrañarnos. No es la eternidad del cielo lo que se busca, sino de la tierra, y, más exactamente, de su tierra. Lo concreto se afirma más aún.

Sólo le queda al poeta, nuestro poeta, animar él también esas concretas palabras. Dar con su alma, que corresponda al alma de la cosa dicha:

> Si yo no encuentro el camino
> mía es la falla...

(p. 343)

La lengua, el mar o la vida, todo viene a ser lo mismo. Están ahí, ofrecidos a quien sepa verlos —verlos en su esencia, como son—, negados a quien no sepa.

Vimos no hace mucho que Salinas, cantor de una visión gozosa, no olvidaba que existía una ciudad enemiga; pero el cantor de ésta, vemos ahora, tampoco olvida la existencia de paisajes más gratos. Es natural que así sea. El alma, ofrecida o lejana, está siempre presente. Es siempre el norte. No en vano *Todo más claro,* por más angustia que gotee, lleva al frente esta cita de Jorge Guillén:

> Hacia una luz mis penas se consumen.

EPÍLOGO:

SITUACIÓN HISTÓRICA DE LA POESÍA DE SALINAS

Hemos considerado la poesía de Salinas, en este estudio, como un mundo autónomo, con sus propias leyes. Discernir estas leyes fue nuestra tarea. Es la concepción estilística, de que partimos, la que nos impuso semejante enfoque. La obra de arte, por supuesto, no se asienta en el vacío. Nace en un momento determinado y en un lugar determinado. Múltiples circunstancias (temperamentales, sociales) presiden a su realización. Pero ninguna de estas circunstancias podría explicarla. Lo condicionado (la obra) no se confunde con aquello que lo condiciona. Esto último tiene interés, sin embargo, si gracias a ello podemos determinar mejor la unicidad de la obra; su carácter único, irrepetible. Esparcidas quedan, por nuestro trabajo, algunas referencias al momento histórico en que los poemas de Salinas vieron luz, a las relaciones que guardan con los de otros poetas, próximos en el tiempo. Vimos entonces (hasta donde nos fue posible) lo que había en común y lo que había de específico. Ahora, dicho ya lo que queríamos decir, vamos a mostrar algo, que sólo *a posteriori* (porque no partimos de ello, sino que vamos a dar a ello) se nos ha revelado: la españolía profunda de la obra de Salinas.

La visión del mundo de nuestro poeta concuerda, efectivamente, con las tendencias más arraigadas en el alma española. Américo Castro ha cifrado la estructura de vida hispana en un solo término: integralismo. El español no otorga primacía a una parte de su personalidad (el yo reflexivo, por ejemplo, como el francés) a expensas de otra. De ahí su repugnancia a lo objetivo (ideas o cosas), que es captado por todos, sin integrarse en el vivir *total* de *mi* persona. "Recordemos —dice Castro— que la idea de la inmortalidad para Miguel de Unamuno implicaba la inmortalidad de su cuerpo, incluso, quizá, la del peculiar indumento que lo recubría" [1]. Lo puramente objetivo no interesa al español, es expresión de lo desalmado. Sólo interiorizado, es decir, personalizado, atraído a nuestra vida (nuestra vida toda) merece interés. Esto explica el hecho curioso de que verbos como *amanecer* y *anochecer* sean personales en español. "En lugar de limitarse a percibir la existencia de un fenómeno natural (se hace de día, o de noche), el alma de la persona transforma lo percibido en creación propia, en algo que acontece dentro y no sólo fuera de la persona: *anochecí,* se hizo noche en mí, y yo me hice noche (...) La realidad se 'animiza' y la persona no se desposee enteramente de lo que no es ella, puesto que no la aísla en conceptos despersonalizados. El amanecer es así un fenómeno vital, objetivo-subjetivo en el que se deslizan mis afectos y sensaciones (amanezco alegre, o con dolor de cabeza), en una experiencia que llamaría 'centáurica' ", dice Américo Castro [2].

Se advertirá la relación que esto guarda con la intuición central de Salinas (integralista también); recordemos su desdén por lo *hecho* (lo objetivo), que no entra en contacto con nosotros, y su valoración del *hacer*. Hacer, donde las almas se extravasan.

Sí, la españolía de Salinas es tan evidente que, incluso a la pluma de Spitzer (en su desnortado estudio), ha acudido esta frase de Mauriac, de sentido coincidente a las citadas de Castro: "Ce peuple espagnol à la fois le plus charnel et le plus spirituel, où toute idée s'incarne, où dans les coeurs les vagues de l'amour divin et la passion humaine confondent leur écume..." [3].

---

[1] *La realidad histórica de España,* Ed. Porrua, México, 1954, p. 229.
[2] *Ob. cit.,* pp. 230 y 231.
[3] *Ob. cit.,* p. 292.

En fin, la obra de Salinas ¿no es un caso más de la ley de la polaridad (realismo, idealismo) de la literatura española, definida por Dámaso Alonso en un breve ensayo, ya famoso? [4]. Las creaciones máximas de los españoles son reflejo de una postura tanto realista como idealista. Vemos aquí una consecuencia del personalismo —o integralismo— de que Castro habla. La importancia concedida a la persona lleva al español a querer abarcar lo más posible del radio vital de ella.

En suma: el español no se aísla del mundo en torno, para recluirse en su yo espiritual, ni reconoce la objetividad de ese mundo (bondad o maldad, fealdad o belleza, leyes racionales que lo gobiernan). El mundo no es nada, si la experiencia vital no lo dinamiza, si no se conecta con esa experiencia; en definitiva, el trato del español con el mundo no difiere del trato que observa con otras personas (algo que, repetidamente, hemos comprobado en Salinas). Karl Vossler, tratando de fijar la peculiaridad del Renacimiento en España, ha escrito esta admirable página: "Los españoles no se confiaban ni abandonaban a la naturaleza. Esta les aparecía, más bien, engañosa y equívoca, sin poder olvidar nunca —y éste es el aspecto decisivo— su perversión y caducidad como consecuencia del pecado original. Los españoles no creían ni en su inocencia ni en su pureza, de igual manera que tampoco reconocían en ella un proceso reducible a leyes racionales y susceptibles de cálculo. Para ellos la naturaleza era una potencia híbrida, neutral en el bien y en el mal, tan pronto tranquila como impetuosa, tanto divina como demoníaca, que debía llevar al poeta a tratarla apasionadamente, más bien dramática que líricamente, y al escritor a toda suerte de ingeniosidades y enigmas profanos y sagrados, naturales y simbólicos.

A los primeros clásicos del estilo severo de un Garcilaso sigue pronto en la poesía de la naturaleza el conceptismo como el estilo más adecuado para este objeto. El conceptismo es una forma de expresión

---

[4] *Escila y Caribdis de la literatura española.* Puede leerse en *Estudios y ensayos gongorinos,* Ed. Gredos, Madrid, 1955, pp. 9-28.

en parte filosófico-fenomenológica, en parte fantástico-sensible, que corresponde a un intelectualismo sentimental que no acepta la naturaleza humilde e infantilmente, que no se pierde en la consideración de su armonía y belleza, sino que la fuerza y violenta. Los productos de la naturaleza son desintegrados, examinados en todas direcciones y comparados recíprocamente, poniéndose, a la vez, de relieve lo fugaz, aparente y engañoso que alienta bajo su aspecto fenoménico, mientras que de otra parte se presiente, intensifica y hace resaltar el elemento divino oculto que presta a la naturaleza su grandeza y sublimidad. Es, en suma, un proceso en dos direcciones, una constructiva y otra destructiva" [5].

Justamente, Leo Spitzer ha calificado de *conceptista* el estilo de Salinas. Estilo que, ahora vemos, no es casual (no podía serlo), sino que responde a un modo específico de ver el mundo, firmemente hincado en la tradición española. Pero el mismo Spitzer se da cuenta muy bien de que algo ha cambiado: el elemento divino oculto en la naturaleza, no es ya tan visible en unos tiempos de crisis de la fe. "La negación ascética del mundo exterior —escribe el gran crítico— se convierte en una actitud particularmente angustiosa para el español, hombre de sentidos agudos, especialmente apto para "ver el mundo": se convierte en un juego trágicamente gratuito puesto que ya no puede legitimarse por la ascensión hacia Dios. Al español está cerrado el recurrir a las "nourritures terrestres", todo ese intelectualismo a la francesa de la vida de los sentidos..." [6].

En efecto, comprobamos la incapacidad de Salinas para saciar su anhelo en la belleza del mundo, de este mundo; en la vida de los sentidos (corporales). Le vimos debatirse, por eso, en busca de una salvación. Salvación que sólo en el amor, demandador incansable del alma, podía estar. El espíritu, pues, de algún modo, seguía presente. El mundo, sin espíritu, era sentido como vacío. Es la gran tragedia

---

[5] *Los motivos idílicos y la poesía de la naturaleza,* en *Introducción a la literatura española del Siglo de Oro,* Trad. de Felipe González Vicén, Col. Austral, Buenos Aires, 1945, pp. 117-118.

[6] *Ob. cit.,* p. 292.

española, que Américo Castro, a quien ya es indispensable acudir cada vez que de España y de lo español se hable, ha visto: la de haberse quedado sin mundo (opuesta a la tragedia europea de haberse quedado sin hombre). Este vacío lleva aparejado un sentido del tiempo peculiar. Lo que Salinas llama "eternidad del tiempo", y que no es sino la monotonía del mundo (donde nada pasa, o donde siempre pasa lo mismo), alterada por los raros instantes de plenitud. En un reciente excelente libro sobre García Lorca, se ha analizado muy bien esta vivencia del tiempo: "Lo que a él le importa (el autor alude al gitano del poema *La casada infiel,* pero sus conclusiones afectan al hombre español) es el instante único, irrepetible, el instante pleno, el tiempo como cualidad, y ello como algo absoluto y total: la intensidad en su medida suprema. Sobre lo español cotidiano levántanse así las abruptas cimas de la arrebatadora plenitud, siempre nuevas, distintas siempre, porque funden el pasado y el futuro en el pleno presente, en un instante que significa una eternidad y que, como tal, no se puede medir ni comparar" [7].

El autor de estas líneas, que establece con esmero la correspondencia que esto tiene con el sentimiento de un vacío espacial, acude —necesariamente— a una cita de Castro: "Su virtud ejemplar [del español] radica en una rara maestría, en el arte inaudito de vivir en la nada y no aniquilarse en ella", y añade luego por cuenta propia:

"La experiencia de la nada pertenece a la vivencia genuina del tiempo (...) La nada, tal como es vivida a diario por el hombre español, no es sino el intervalo de intemporalidad entre dos instantes de intensidad. Lejos de excluir a ésta, forma más bien su inalienable contrapolo. El español no se aniquila en la nada, porque ésta representa sólo una parte de su vivencia del tiempo, una parte que él conoce por experiencia, como también por experiencia le es familiar la otra parte: la intensidad del instante. De distinta manera que el centroeuropeo, el español no pretende unir ambos polos, conciliar los contrarios; an-

---

[7] Christoph Eich, *Federico García Lorca, poeta de la intensidad,* Ed. Gredos, Madrid, 1958, pp. 35-36.

tes bien, anhela precisamente mantenerlos separados, conservarlos en marcado apartamiento" [8].

Es lo que, repetidamente, hemos visto en Salinas. Los amantes parecían flotar en el vacío. Destruían el mundo, para incorporárselo, en una experiencia de la vida típicamente española. De la vida, y no sólo del amor. Este era un foco poderoso, a la luz del cual esa experiencia se iluminaba, surgía con toda fuerza. Sólo el amor permitía acceder a una cima de intensidad. El amor era entonces la vida, dijimos. Sólo ellos, los dos amantes, existían. Tú y yo. Los pronombres —irreductibles, insobornables— no se aniquilaban. La nada era sólo un fondo, que los recortaba con violencia. Claros perfiles los de la poesía de Salinas, pese a brumas ocasionales. Es la luz dura, neta, que baña la lírica castellana. Nada de ser o no ser, sino de ser y no ser. Esta dialéctica confiere a la obra de Salinas su hondo, su español desgarro. Inmersa en una gran tradición es, pues, como la vemos. Tradición que —digámoslo con palabras que el propio Salinas empleó en su estudio sobre Manrique— convive aquí con la más alta originalidad.

---

[8] *Ob. cit.,* pp. 75-76.

BIBLIOGRAFÍA

PRIMERAS EDICIONES DE LAS POESÍAS DE SALINAS

Presagios, Colección Índice, Madrid, 1923.
Seguro azar, Revista de Occidente, Madrid, 1929.
Fábula y Signo, Ed. Plutarco, Madrid, 1931.
La voz a ti debida, Ed. "Los cuatro vientos", Madrid, 1933.
Razón de amor, Cruz y Raya, Madrid, 1936.
Error de cálculo, Fábula, México, 1938. (Incluido luego en *Todo más claro.*)
Poesía junta, Ed. Losada, Buenos Aires, 1942. (Incluye los títulos anteriores, salvo *Error de cálculo.*)
El Contemplado, Ed. Stylo, México, 1946.
Todo más claro y otros poemas, Ed. Sudamericana, Buenos Aires, 1949.
Poemas escogidos, Col. Austral, Buenos Aires, 1953. (Ed. póstuma, por Jorge Guillén. Recoge, bajo el título *Confianza*, nueve poemas inéditos.)
Confianza. (Ed. especial, 1954.)
Poesías completas, Ed. Aguilar, Madrid, 1953.

ÍNDICE GENERAL

873